상위권으로 가는 문제 해결 연산 학습지

응용 연산

C1
초3 ~ 초4

분수와 소수의 기초

Creative to Math

응용연산 : 상위권으로 가는 문제해결 연산 학습지

요즘 아이들은 초등학교 입학 전에 연산 문제집 한 권 정도는 풀어본 경험이 있습니다. 어릴 때부터 연산 문제를 많이 풀었기 때문에 아이들은 아직 학교에서 배우지 않은 계산 문제를 슥슥 풀어서 부모님들을 흐뭇하게 만들기도 합니다. 그런데 아이들의 연산 능력은 날로 높아지지만 수학 실력은 과거에 비해 그다지 늘지 않은 것 같습니다. 사실 진짜 수학 실력은 연산 문제나 사고력 수학 문제를 주로 푸는 초등 저학년 때는 잘 드러나지 않습니다. 응용 문제를 본격적으로 풀기 시작하는 초등 3, 4학년이 되어서야 아이의 수학 실력을 판별할 수 있습니다.

초등 수학에서 연산이 가장 중요한 것은 부정할 수 없는 사실입니다. 중학생, 고등학생이 되어서 부족한 연산 능력을 키우는 것은 거의 불가능합니다. 이러한 연산의 특수성 때문에 아이들은 어린 나이부터 연산을 반복적으로 연습하여 실력을 키우려고 합니다. 이렇게 열심히 연산을 공부하는데도 왜 어떤 아이들은 수학 문제를 잘 풀지 못하는 것일까요? 그 이유는 현재 연산 학습의 목적이 단지 '계산을 잘 하는 것'이 되어버렸기 때문입니다. 연산은 연산 자체가 목적이 될 수 없으며 수학의 진짜 목표인 문제를 잘 풀기 위한 수단으로 연산을 학습해야 합니다.

과거 초등 수학 교과서의 연산 단원은 ① 원리와 연습 ② 문장제 활용의 단순한 구성이었습니다만 요즘의 교과서는 많이 달라졌습니다. 원리와 연습은 그대로이거나 조금 줄었지만 연산을 응용하는 방식은 좀 더 다양해졌습니다. 계산 능력의 향상만을 꾀하는 것이 아니라 여러 가지 퍼즐이나 수학적 상황 등을 해결할 수 있는 '응용력'에 초점을 맞추고 있다는 것을 보여주는 변화입니다. 따라서 저희는 연산 학습지도 원리나 연습 위주에서 벗어나 실제 문제를 해결할 수 있는 능력에 포인트를 맞추어야 한다고 생각합니다.

'연산은 잘 하는데 수학 문제는 왜 못 풀까요?'에 대한 대답이자 대안으로 저희는 「응용연산」이라는 새로운 컨셉의 연산 학습지를 만들었습니다. 연산 원리를 이해하고 연습하는 것에 그치지 않고, 익힌 것을 활용하는 방법을 바로 보여줄 수 있어야 아이들이 수학 문제에 연산을 효과적으로 적용할 수 있습니다. 연습은 꼭 필요한 만큼만 하고, 더 중요한 응용 문제에 바로 도전함으로써 연산과 문제 해결이 단절되지 않게 하는 것이 「응용연산」에서 기대하는 가장 큰 목표입니다.

「응용연산」을 통해 아이들이 왜 연산을 해야 하는지 스스로 느낄 수 있을 것이라 자신합니다. 이제 연산은 '원리'나 '연습'이 아닌 스스로 문제를 해결할 수 있는 '응용력'입니다.

응용연산의 구성과 특징

- 매일 부담없이 4쪽씩 연산 학습
- 매주 4일간 단계별 연산 학습과 응용 문제를 통한 연산 실력 확인
- 매주 1일 형성평가로 테스트 및 복습

주차별 구성

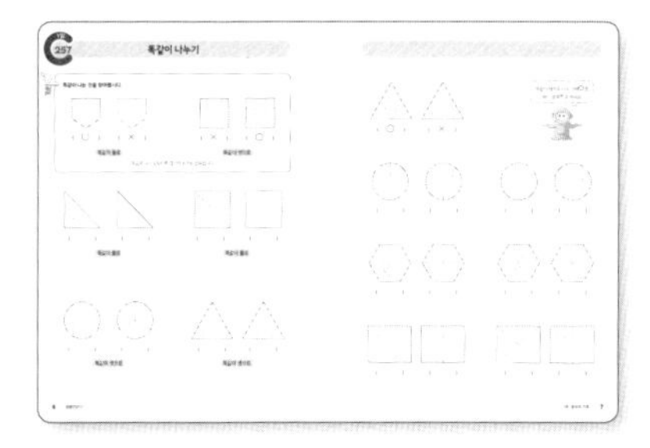

원리연산

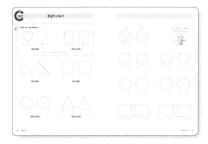

대표 문제를 통해 학습하는 매일 새로운 단계별 연산 학습

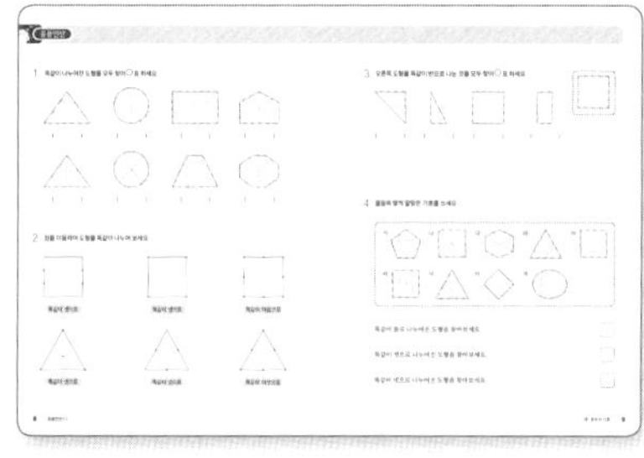

응용연산

기본 문제와 응용 문제를 통한 응용력과 문제해결력 증진

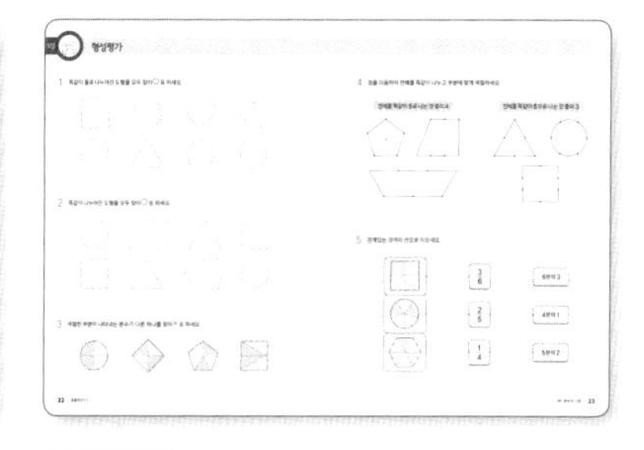

형성평가

가장 중요한 유형을 다시 한번 복습하며 주차 학습 마무리

	1일	2일	3일	4일	5일
1주차	6쪽 ~ 9쪽	10쪽 ~ 13쪽	14쪽 ~ 17쪽	18쪽 ~21쪽	22쪽 ~ 24쪽
2주차	26쪽 ~ 29쪽	30쪽 ~ 33쪽	34쪽 ~ 37쪽	38쪽 ~41쪽	42쪽 ~ 44쪽
3주차	46쪽 ~ 49쪽	50쪽 ~ 53쪽	54쪽 ~ 57쪽	58쪽 ~61쪽	62쪽 ~ 64쪽
4주차	66쪽 ~ 69쪽	70쪽 ~ 73쪽	74쪽 ~ 77쪽	78쪽 ~81쪽	82쪽 ~ 84쪽

정답 및 해설

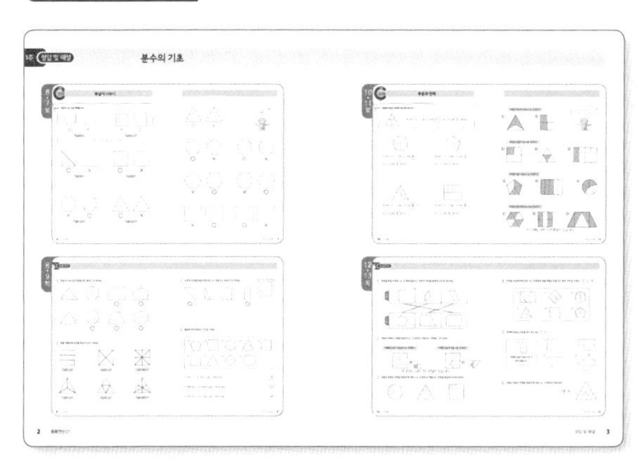

문제와 답을 한눈에 볼 수 있습니다.

이 책의 차례

분수의 기초

분수 알아보기

똑같이 나누기

개념 원리

똑같이 나눈 것을 찾아봅시다.

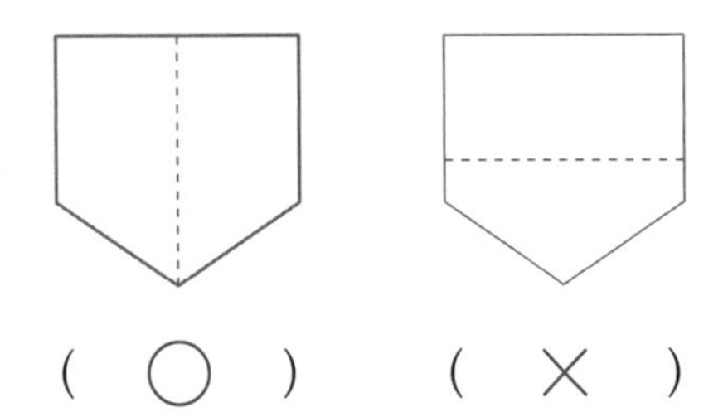

(○) (×)

똑같이 둘로

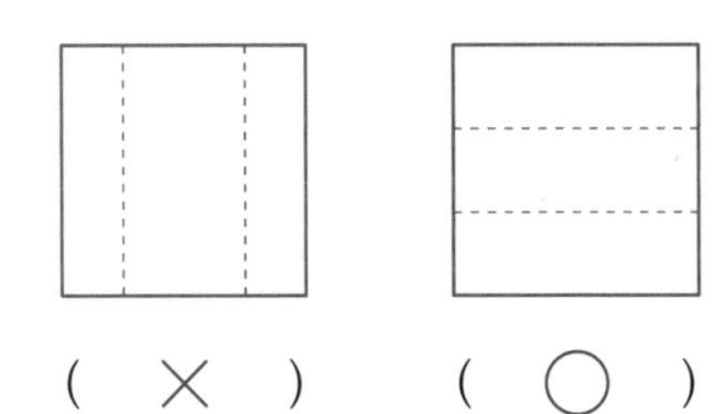

(×) (○)

똑같이 셋으로

똑같이 나눈 모양끼리 겹치면 완전히 겹쳐집니다.

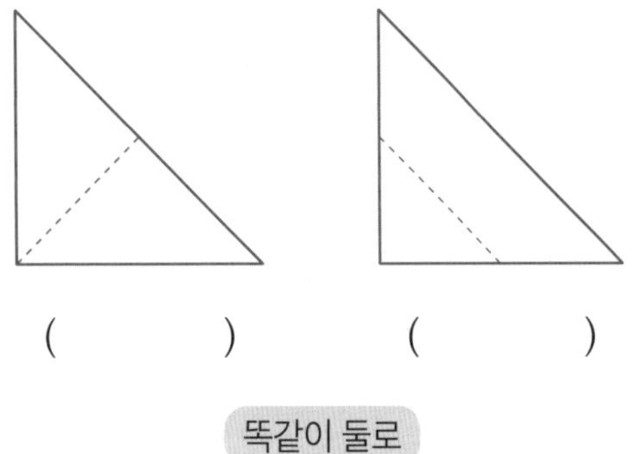

( ) ( )

똑같이 둘로

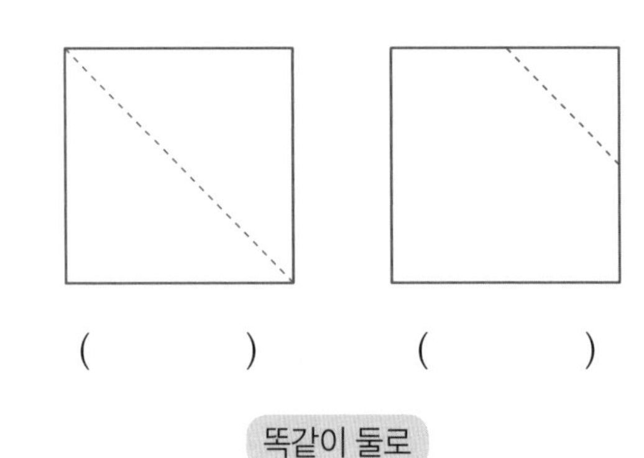

( ) ( )

똑같이 둘로

( ) ( )

똑같이 셋으로

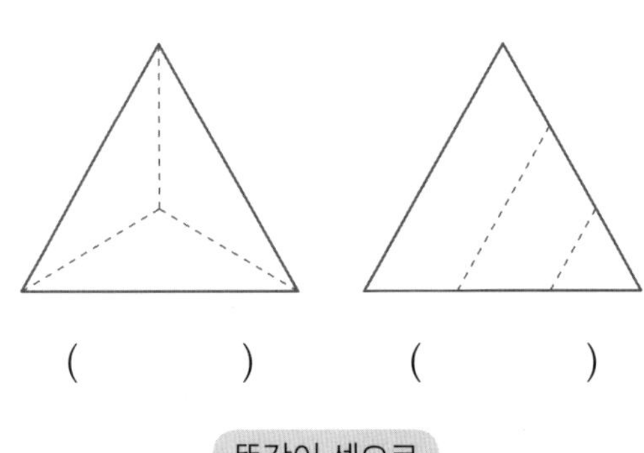

( ) ( )

똑같이 셋으로

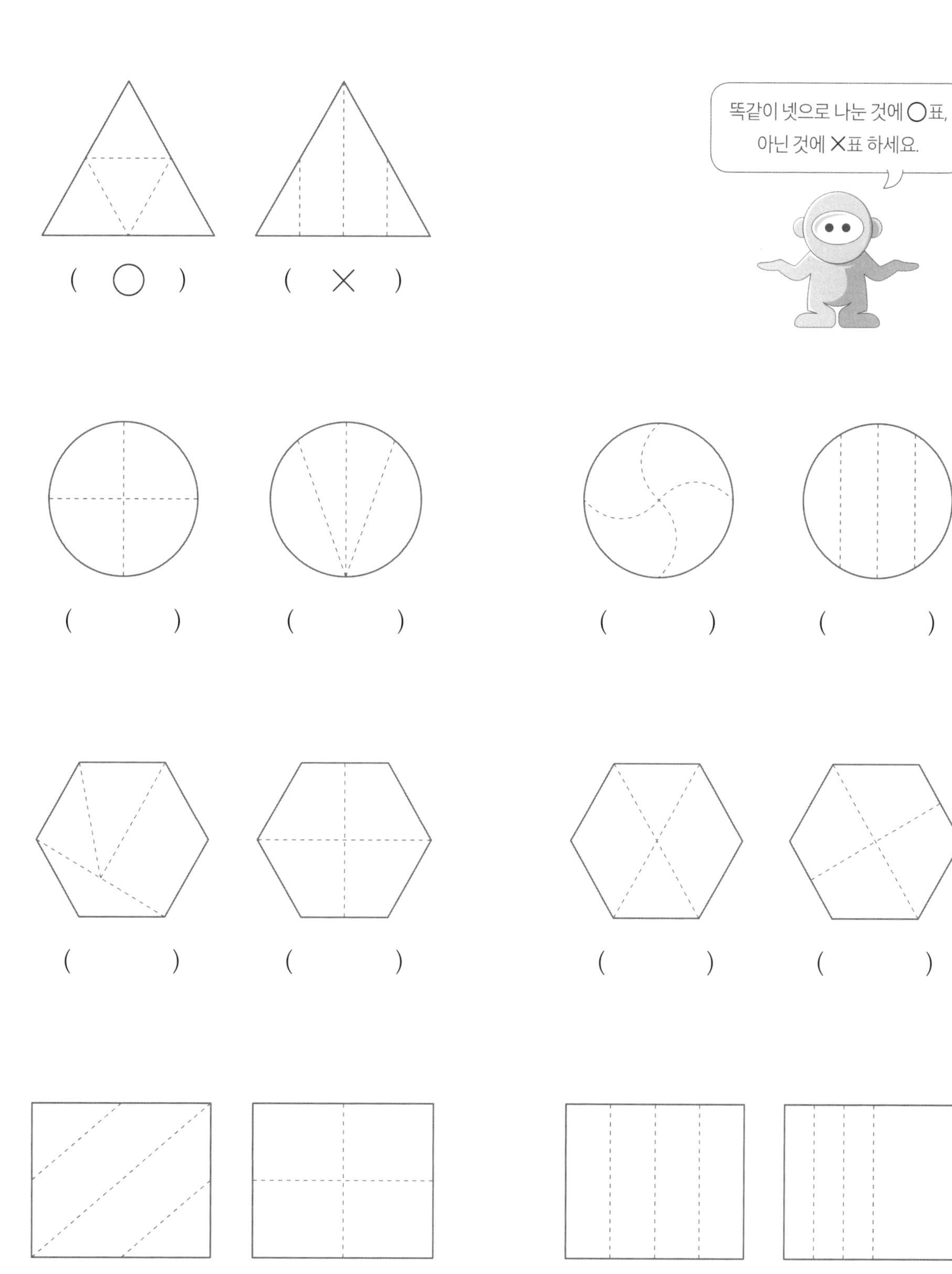
똑같이 넷으로 나눈 것에 ○표,
아닌 것에 ×표 하세요.
(○)
(×)
(   )
(   )
(   )
(   )
(   )
(   )
(   )
(   )
(   )
(   )
(   )
(   )

1 똑같이 나누어진 도형을 모두 찾아 ◯표 하세요.

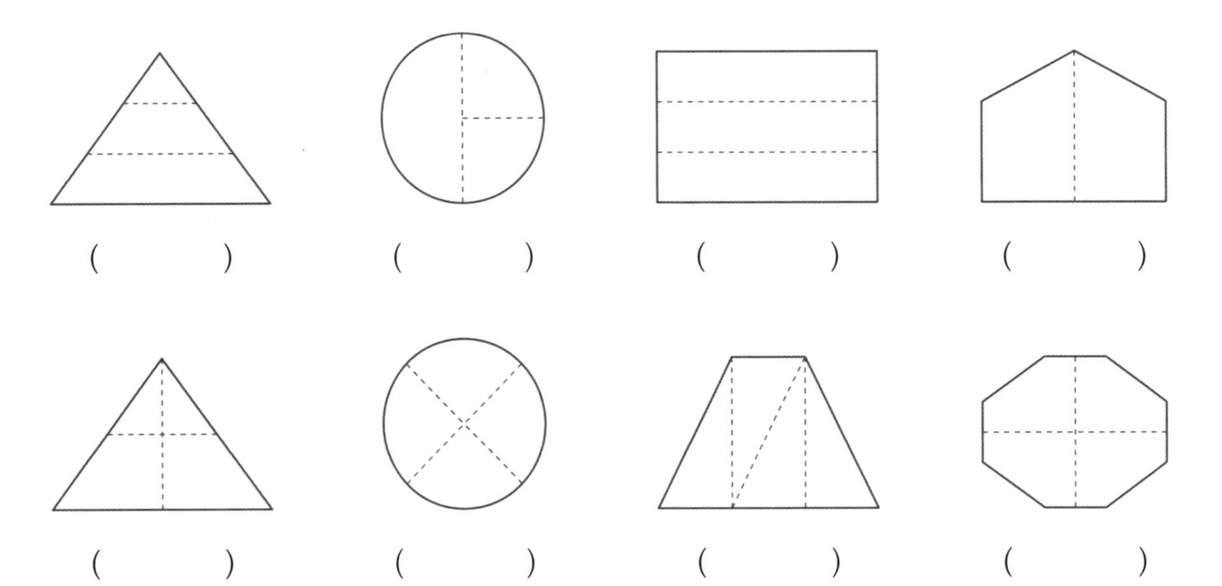

2 점을 이용하여 도형을 똑같이 나누어 보세요.

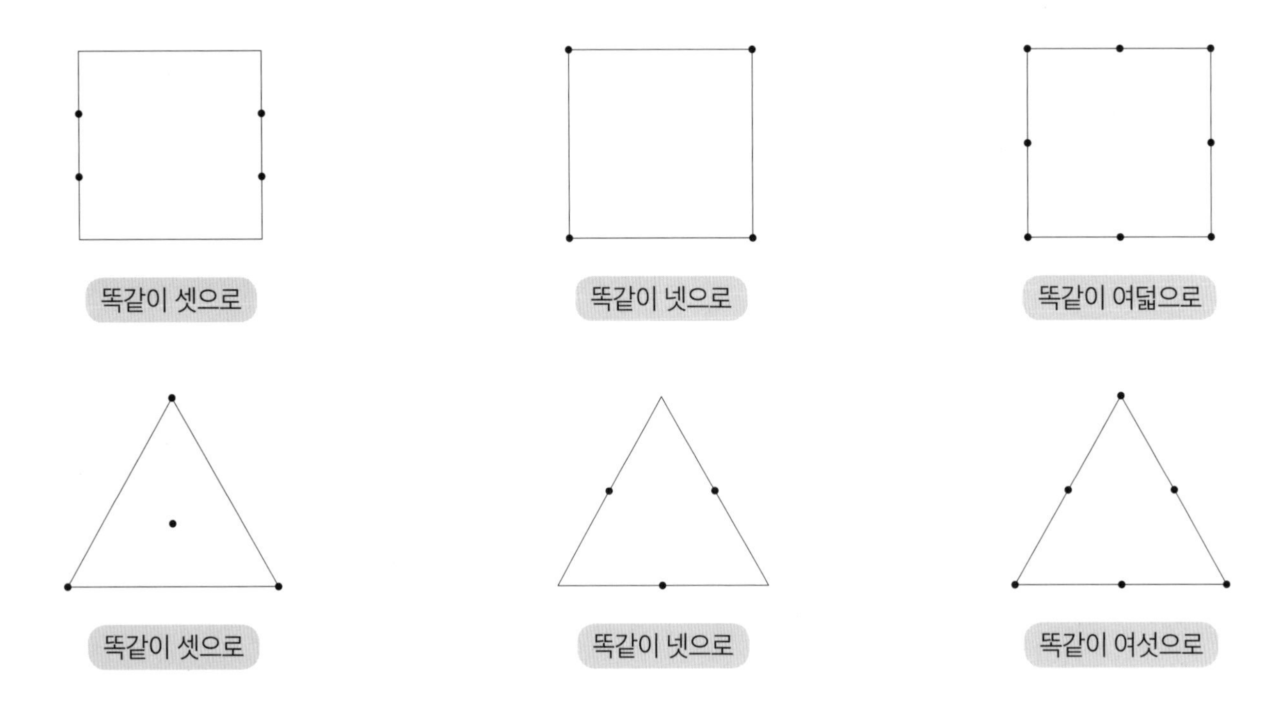

3 오른쪽 도형을 똑같이 반으로 나눈 것을 모두 찾아 ◯표 하세요.

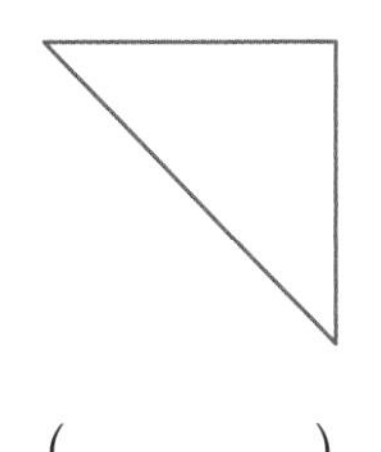

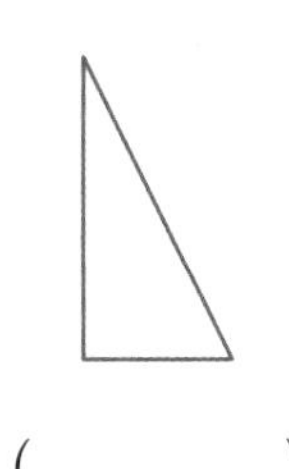

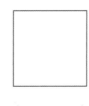

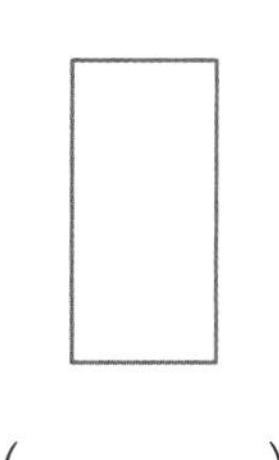

( ) ( ) ( ) ( )

4 물음에 맞게 알맞은 기호를 쓰세요.

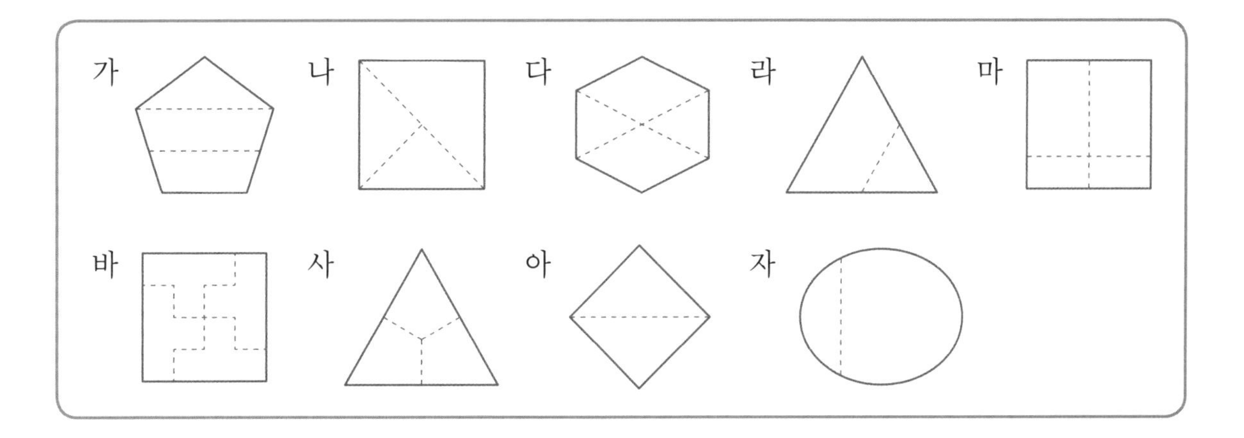

똑같이 둘로 나누어진 도형을 찾아보세요.

똑같이 셋으로 나누어진 도형을 찾아보세요.

똑같이 넷으로 나누어진 도형을 찾아보세요.

258 부분과 전체

색칠한 부분을 전체와 비교하여 봅시다.

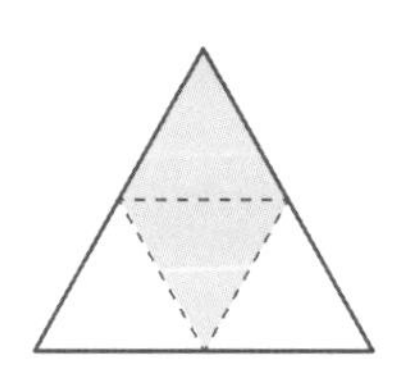

색칠한 부분은 전체를 똑같이 [4] 로 나눈 것 중의 [2] 입니다.

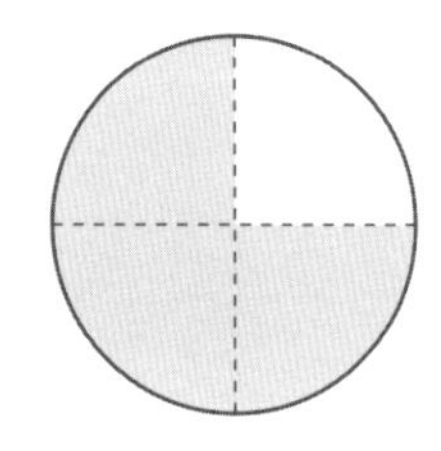

색칠한 부분은 전체를 똑같이 [ ] 로 나눈 것 중의 [ ] 입니다.

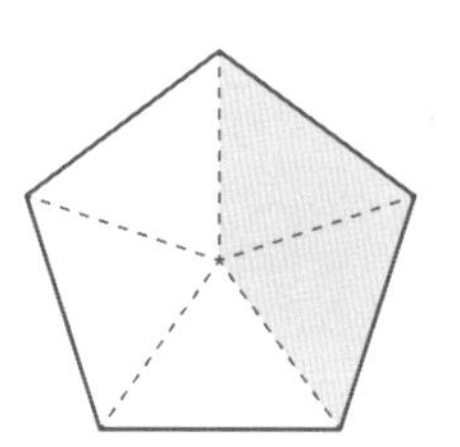

색칠한 부분은 전체를 똑같이 [ ] 로 나눈 것 중의 [ ] 입니다.

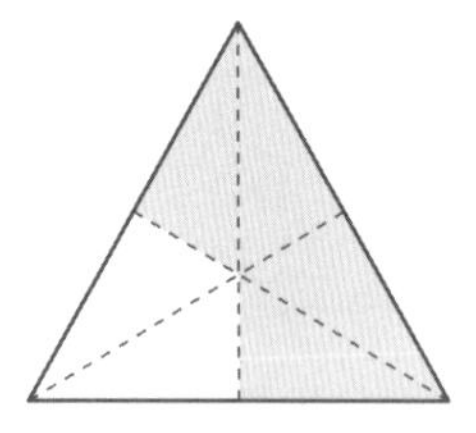

색칠한 부분은 전체를 똑같이 [ ] 으로 나눈 것 중의 [ ] 입니다.

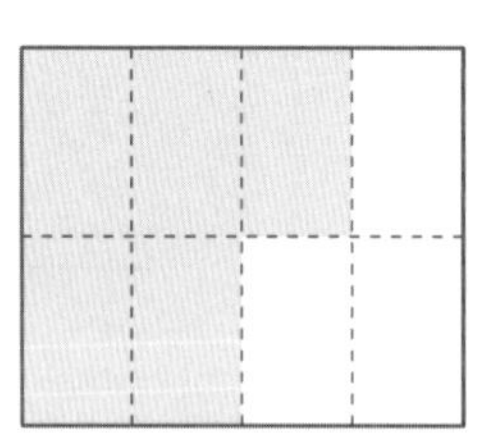

색칠한 부분은 전체를 똑같이 [ ] 로 나눈 것 중의 [ ] 입니다.

점을 이용하여 전체를 똑같이 나누고 부분에 맞게 색칠하세요.

전체를 똑같이 3으로 나눈 것 중의 2

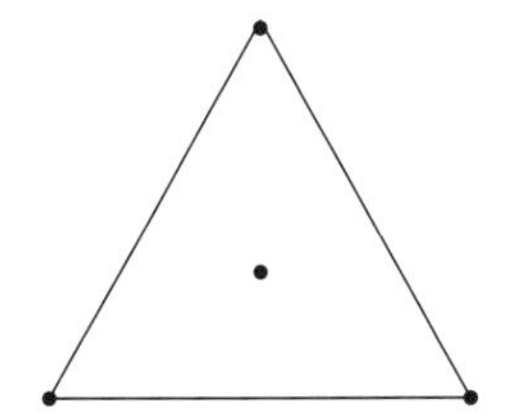

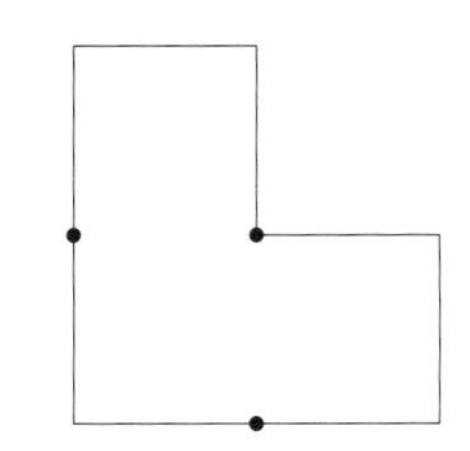

전체를 똑같이 4로 나눈 것 중의 1

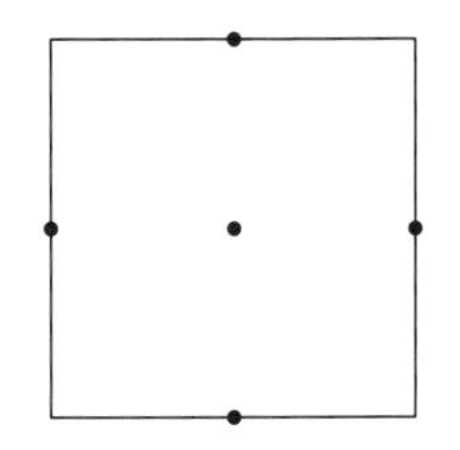

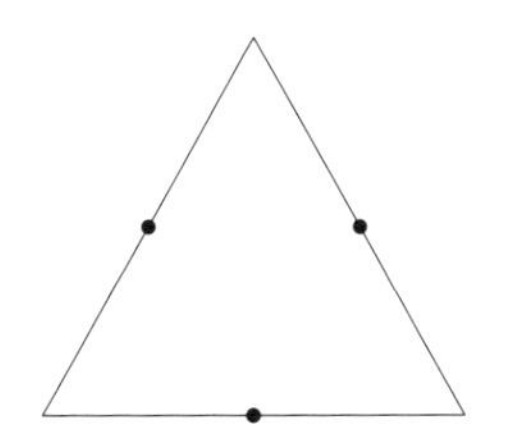

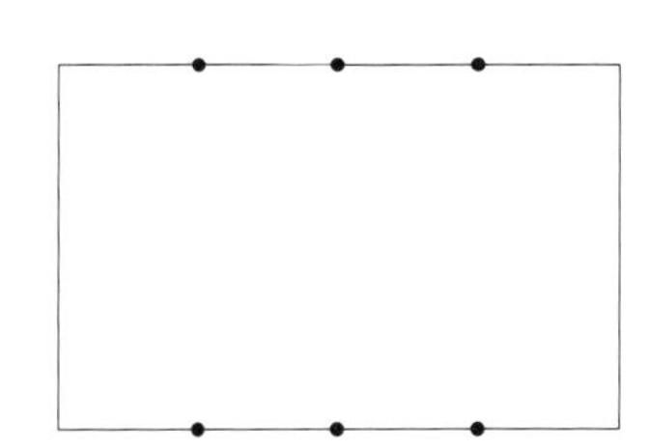

전체를 똑같이 5로 나눈 것 중의 3

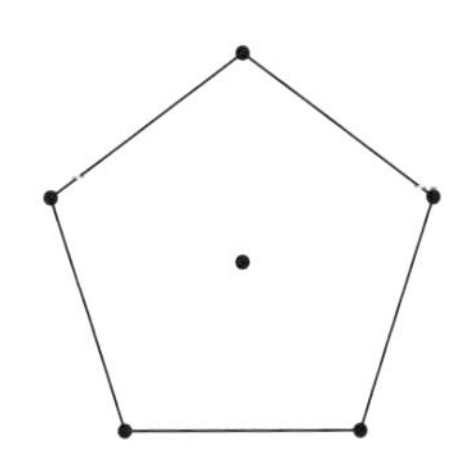

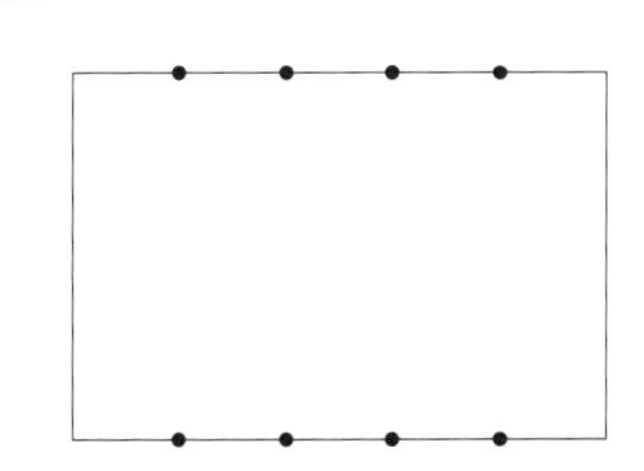

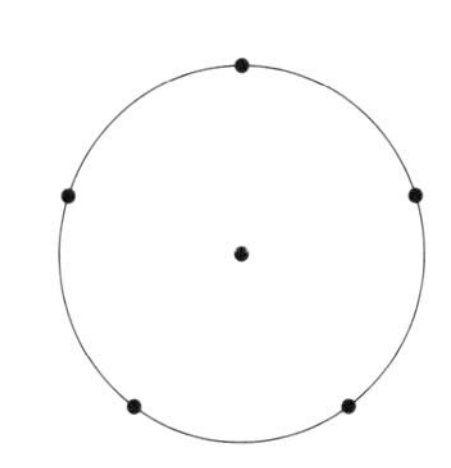

전체를 똑같이 6으로 나눈 것 중의 4

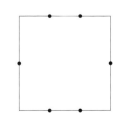

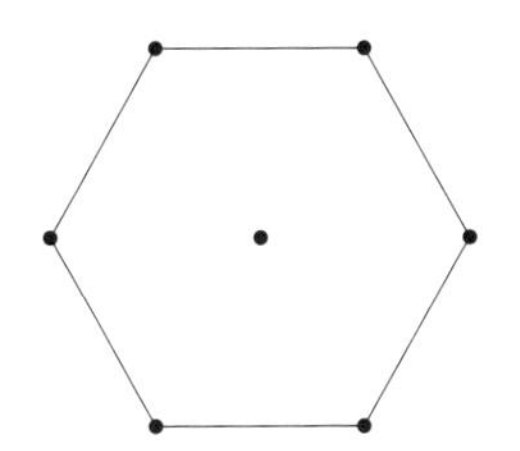

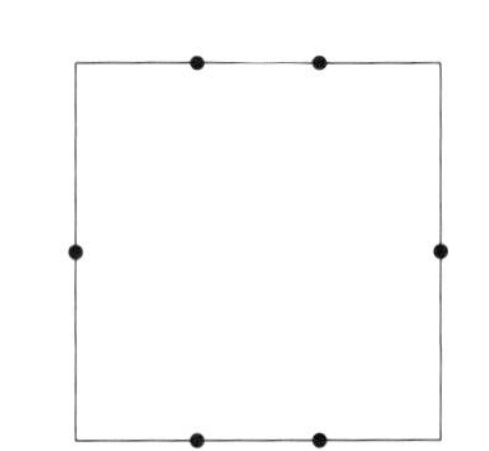

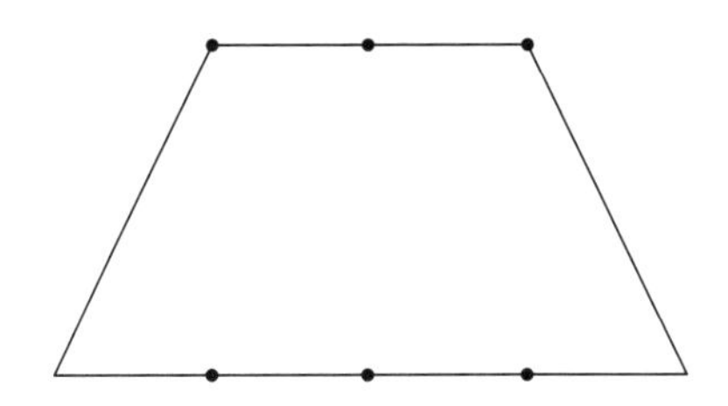

1 전체를 똑같이 5로 나눈 것 중의 2입니다. 부분과 전체를 알맞게 선으로 이으세요.

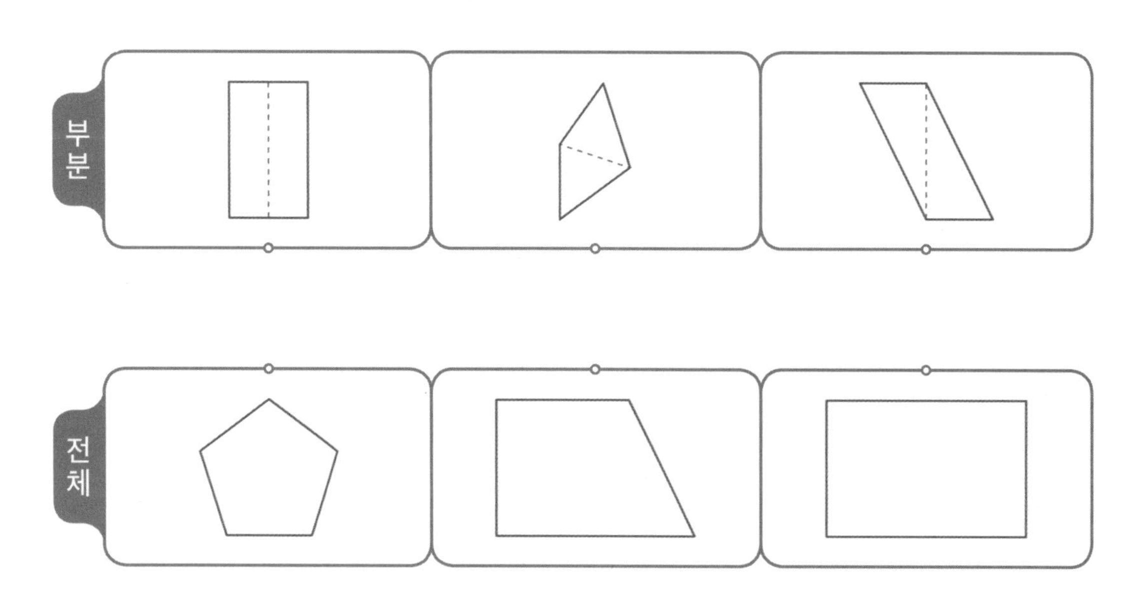

2 색칠한 부분은 전체를 똑같이 나눈 것 중의 한 개입니다. 전체를 그려 보세요.

전체를 똑같이 3으로 나눈 것 중의 1

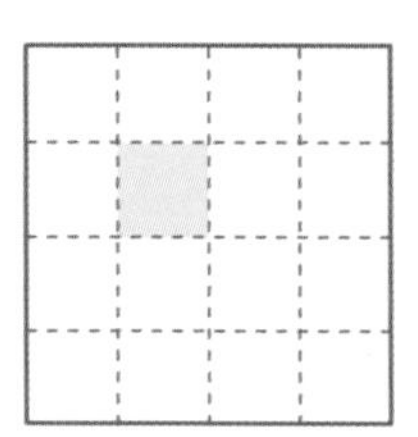

전체를 똑같이 4로 나눈 것 중의 1

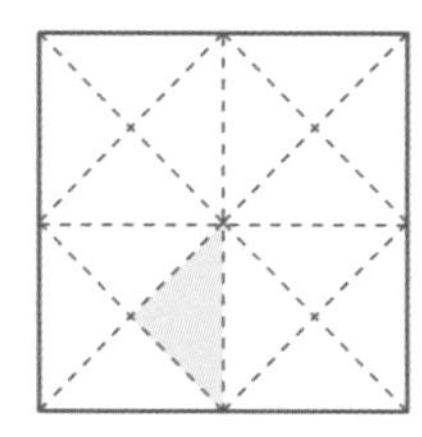

3 색칠한 부분은 전체를 똑같이 몇 개로 나눈 것 중의 한 개입니다. 전체를 똑같이 나누어 보세요.

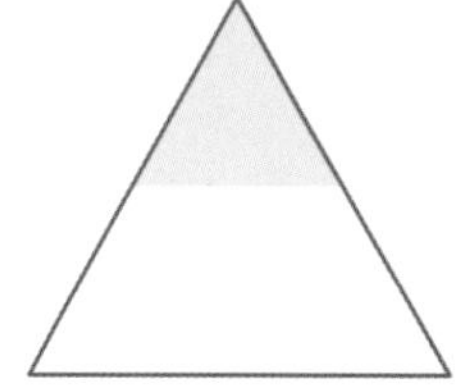

4 전체를 똑같이 여섯으로 나눈 것 중에서 넷을 색칠한 것을 모두 찾아 기호를 쓰세요.

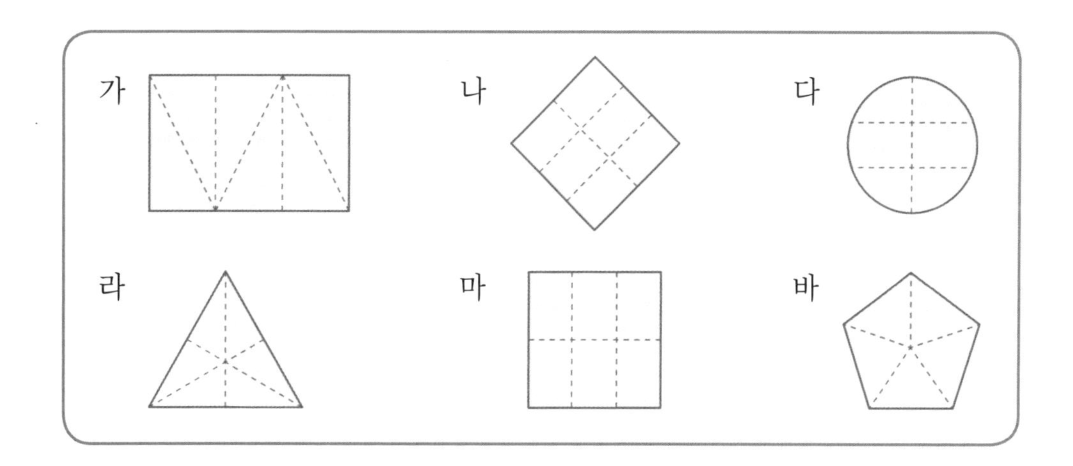

5 전체에 알맞은 도형을 모두 찾으세요.

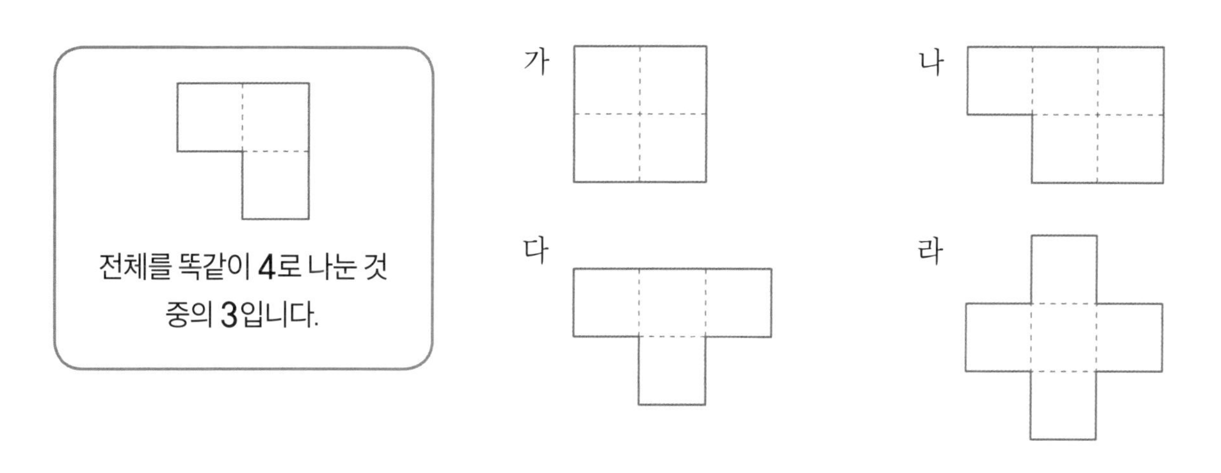

6 색칠한 부분은 전체를 똑같이 몇 개로 나눈 것 중의 한 개일까요?

[ ]개

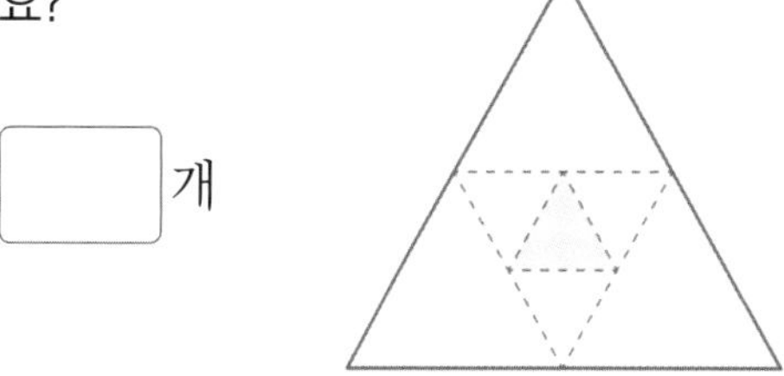

분수로 나타내기

분수를 알아봅시다.

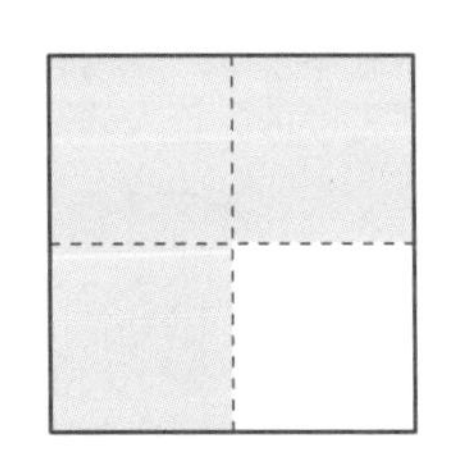

$\frac{3}{4}$ ← 색칠한 부분의 수(분자) / ← 전체를 똑같이 나눈 수 (분모)

전체를 똑같이 4로 나눈 것 중의 3을

$\frac{3}{4}$ 이라고 쓰고 4 분의 3 이라고 읽습니다.

전체를 똑같이 ☐ 으로 나눈 것 중의 ☐ 를

$\frac{☐}{☐}$ 라고 쓰고 ☐ 분의 ☐ 라고 읽습니다.

전체를 똑같이 ☐ 로 나눈 것 중의 ☐ 를

$\frac{☐}{☐}$ 라고 쓰고 ☐ 분의 ☐ 라고 읽습니다.

전체를 똑같이 ☐ 로 나눈 것 중의 ☐ 를

$\frac{☐}{☐}$ 라고 쓰고 ☐ 분의 ☐ 라고 읽습니다.

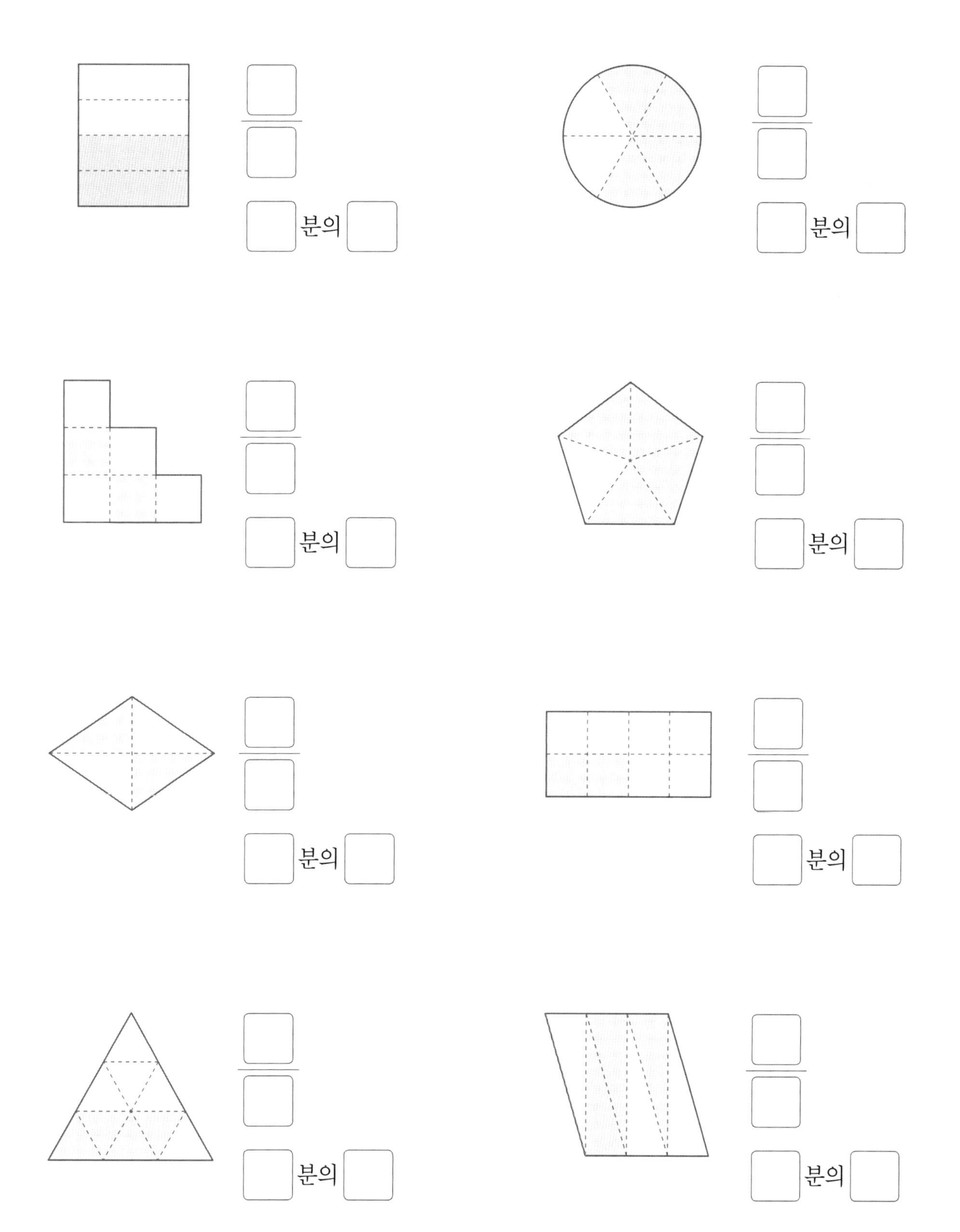
분의
분의
분의
분의
분의
분의
분의
분의

1 관계있는 것끼리 선으로 이으세요.

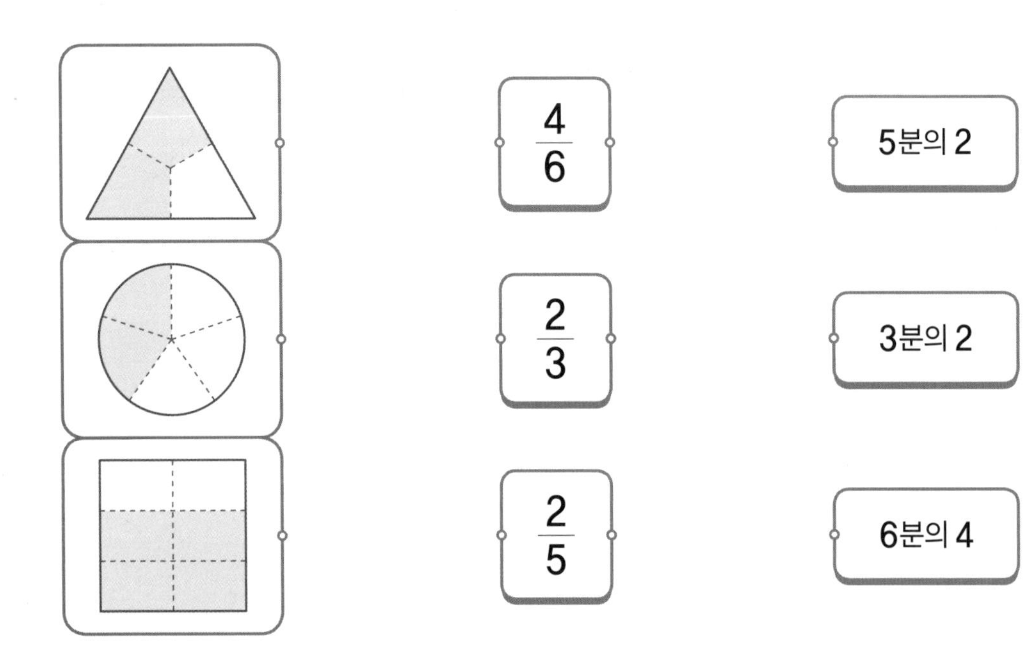

2 색칠한 부분과 색칠하지 않은 부분을 분수로 나타내세요.

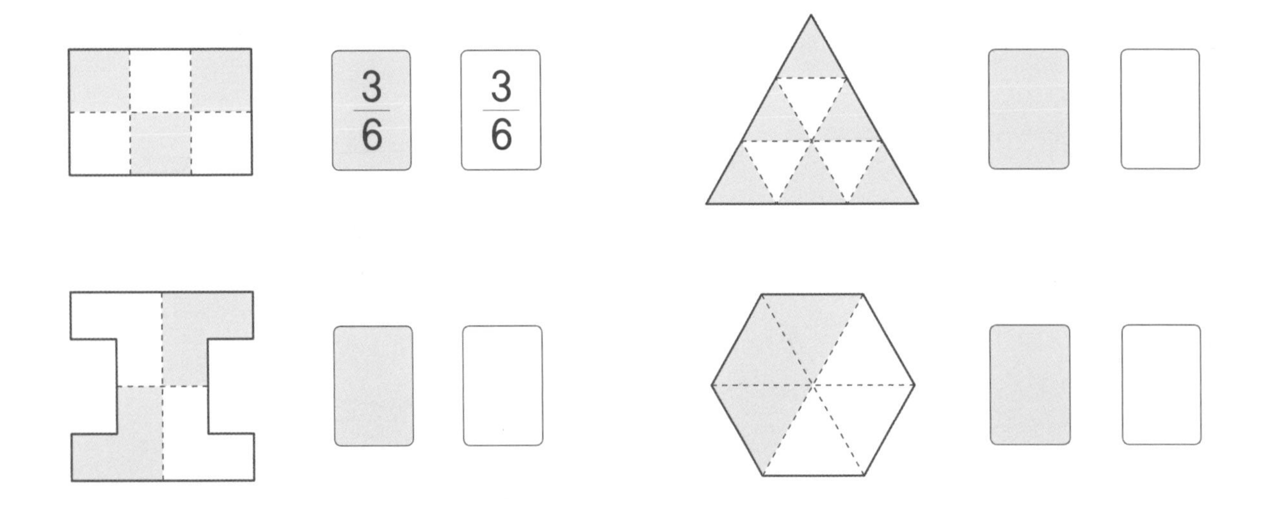

3 색칠한 부분이 나타내는 분수가 다른 것에 ╳표 하세요.

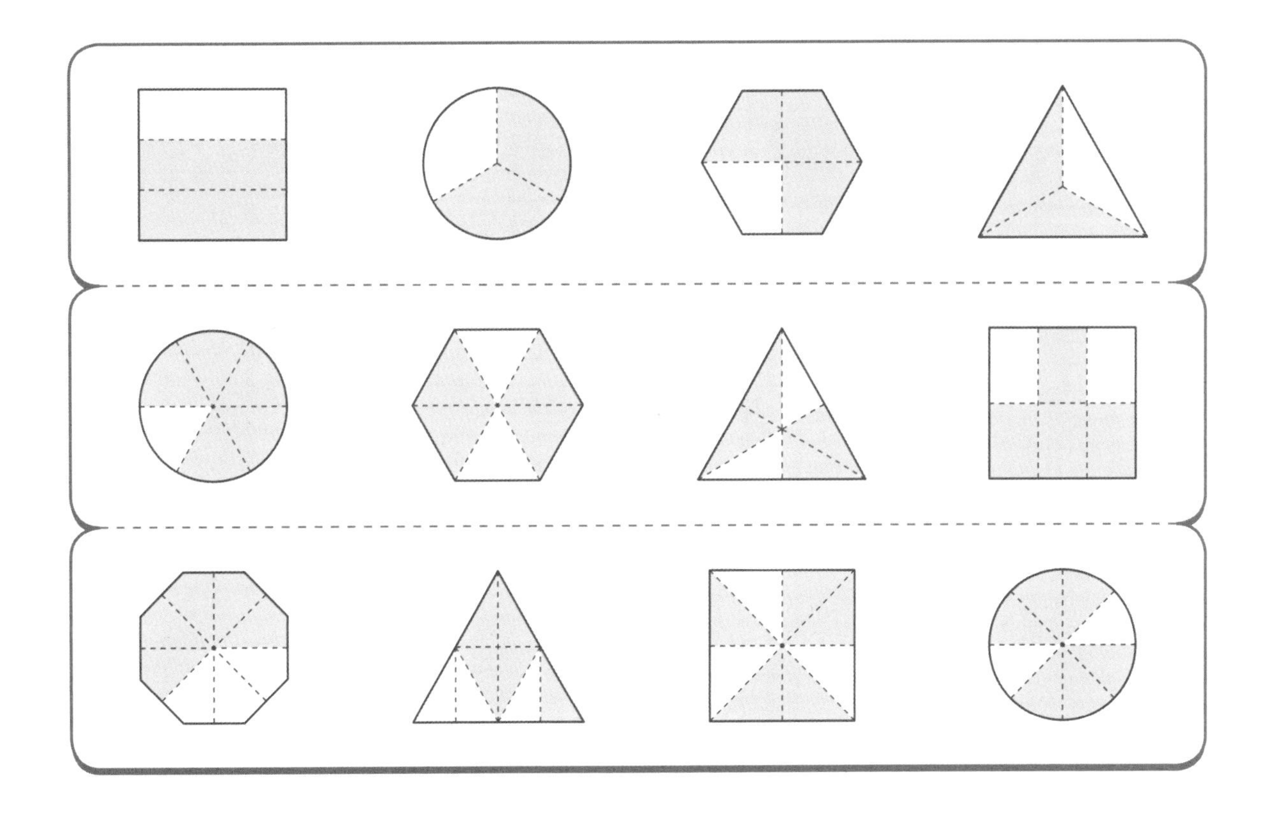

4 도형에서 색칠한 부분은 전체 도형의 몇 분의 몇일까요?

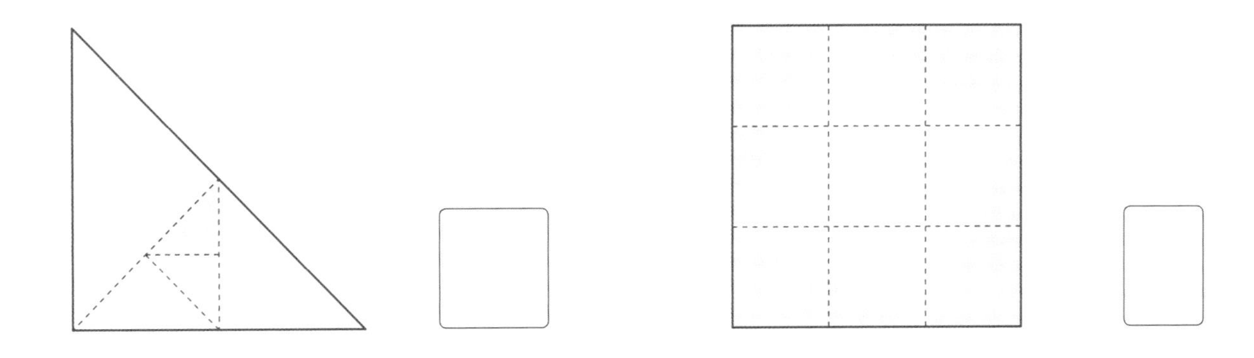

260 분수만큼 칠하기

개념원리

주어진 분수만큼 색칠해 봅시다.

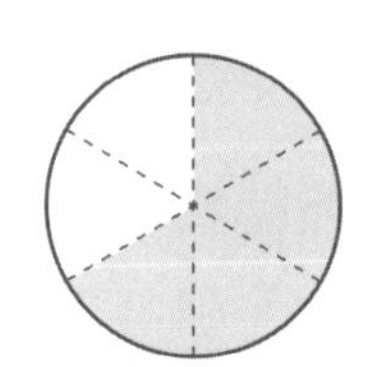 $\frac{4}{6}$

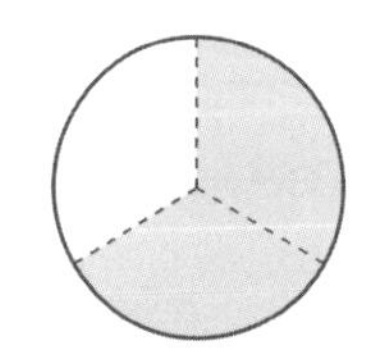 $\frac{2}{3}$

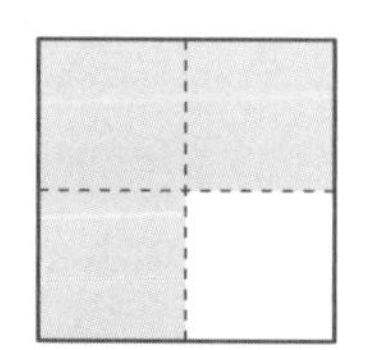 $\frac{3}{4}$

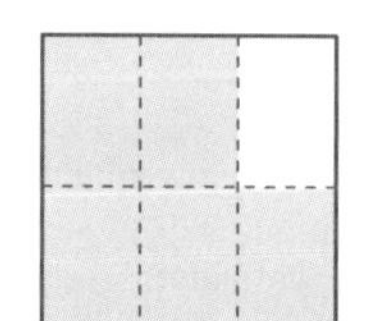 $\frac{5}{6}$

전체를 분모의 수만큼 나누고 분자의 수만큼 칠합니다.

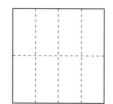

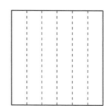

$\frac{3}{4}$ 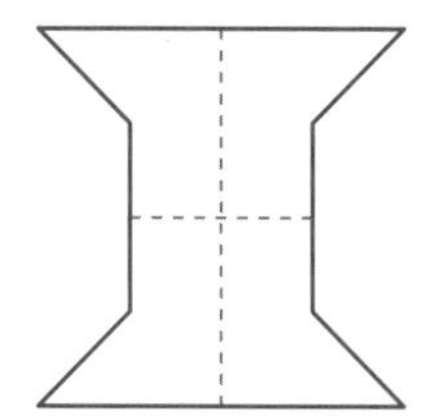

$\frac{5}{8}$ 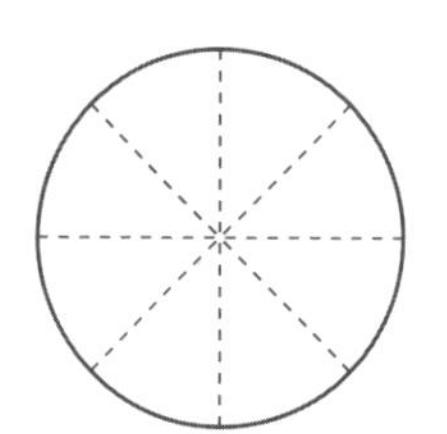

$\frac{2}{4}$ 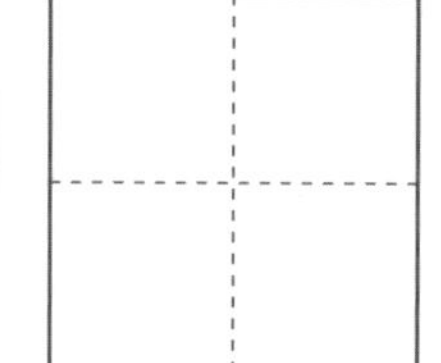

$\frac{4}{6}$ 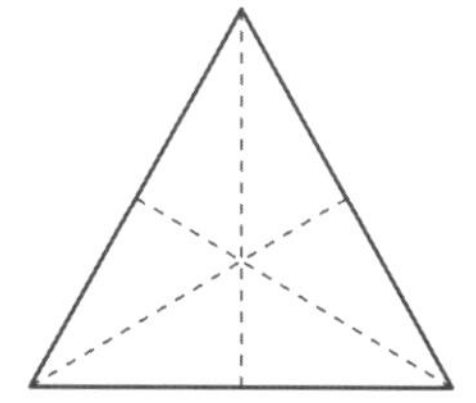

$\frac{1}{8}$ 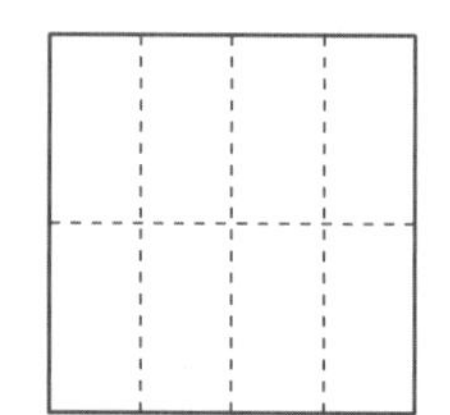

$\frac{1}{3}$ 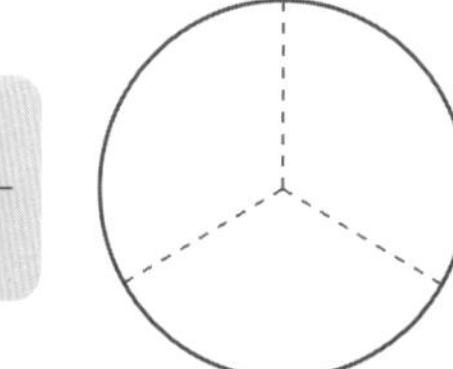

$\frac{1}{6}$ 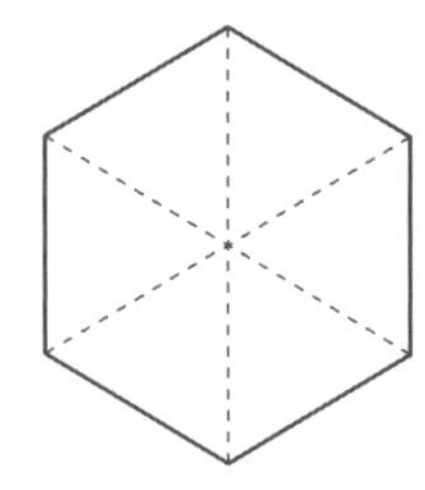

$\frac{4}{6}$ 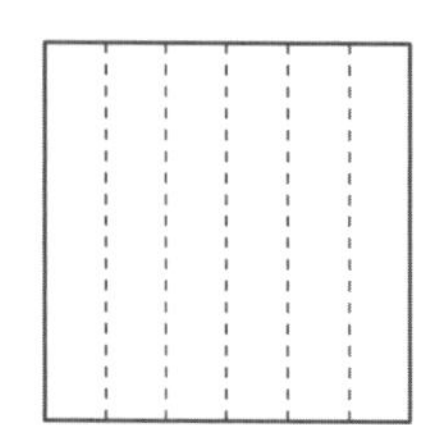

$\frac{3}{8}$ 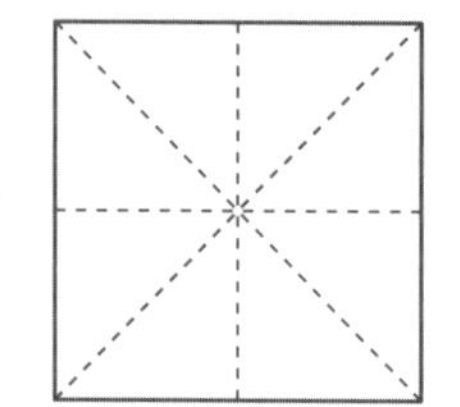

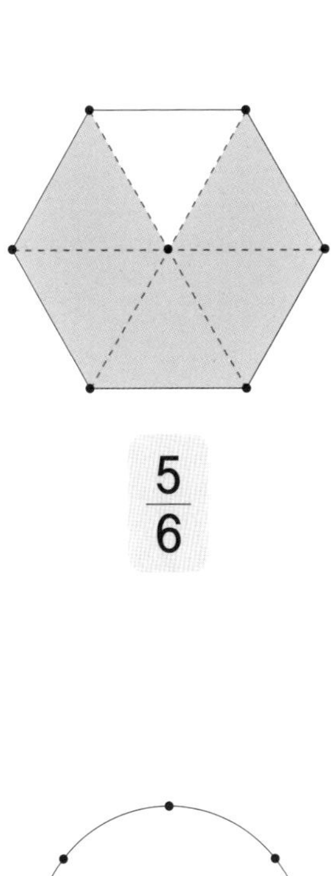

$\frac{5}{6}$

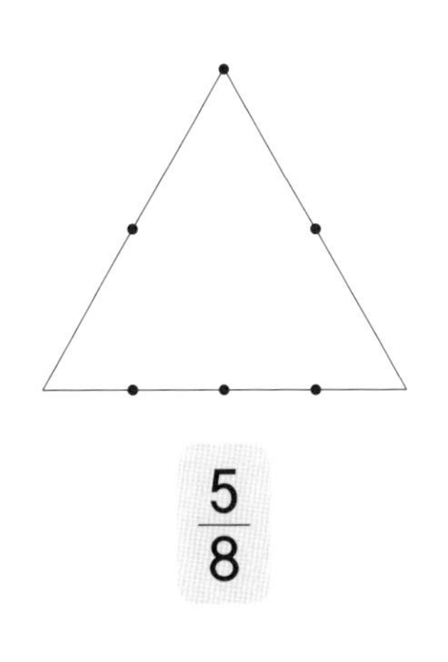

$\frac{5}{8}$

점을 이어 똑같이 나눈 다음
분수에 맞게 색칠하세요.

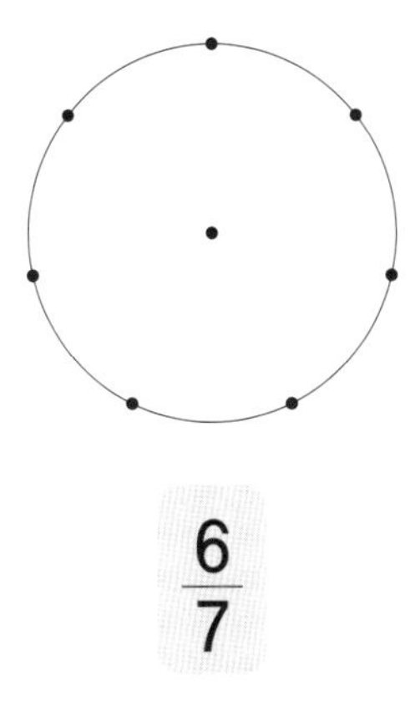

$\frac{6}{7}$

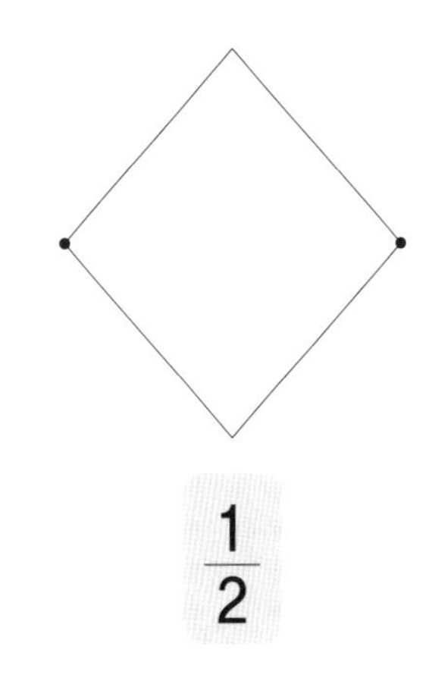

$\frac{1}{2}$

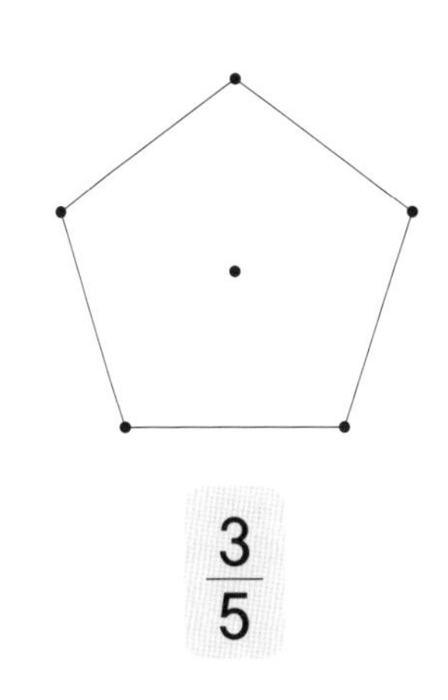

$\frac{3}{5}$

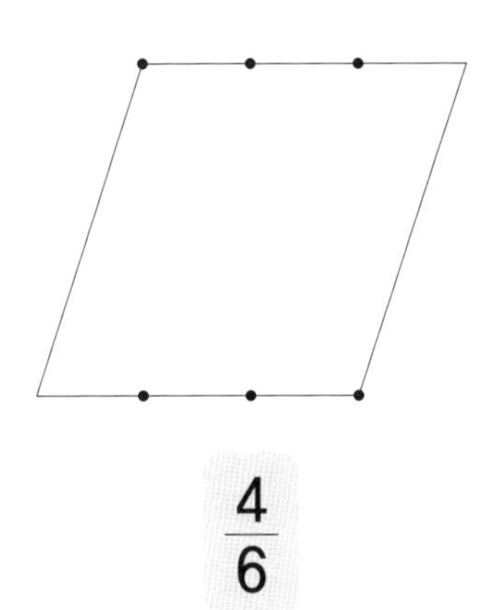

$\frac{4}{6}$

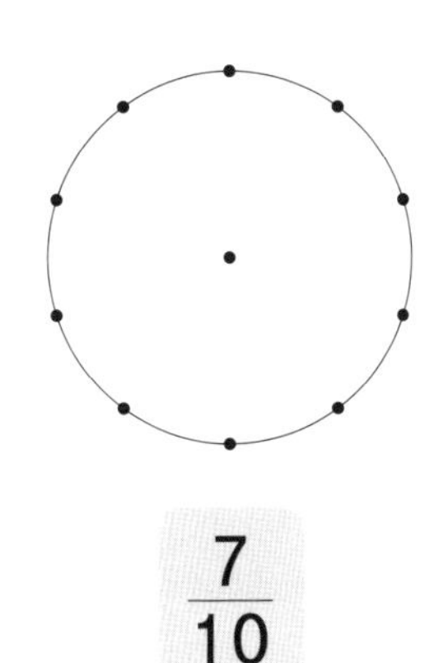

$\frac{7}{10}$

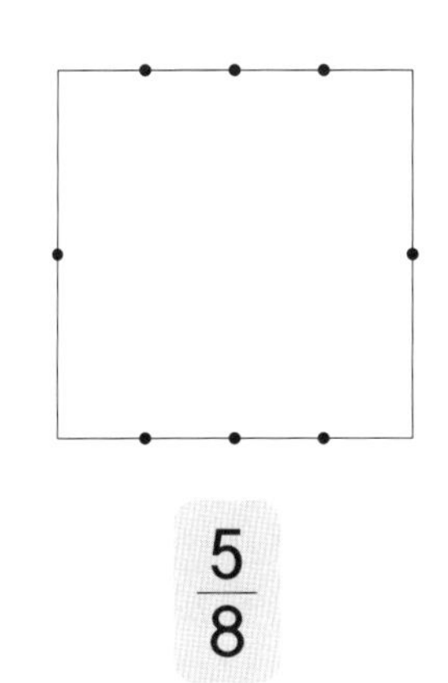

$\frac{5}{8}$

1 규칙에 따라 분수를 나타낸 것입니다. 규칙에 맞게 그림에 색칠하고 분수를 쓰세요.

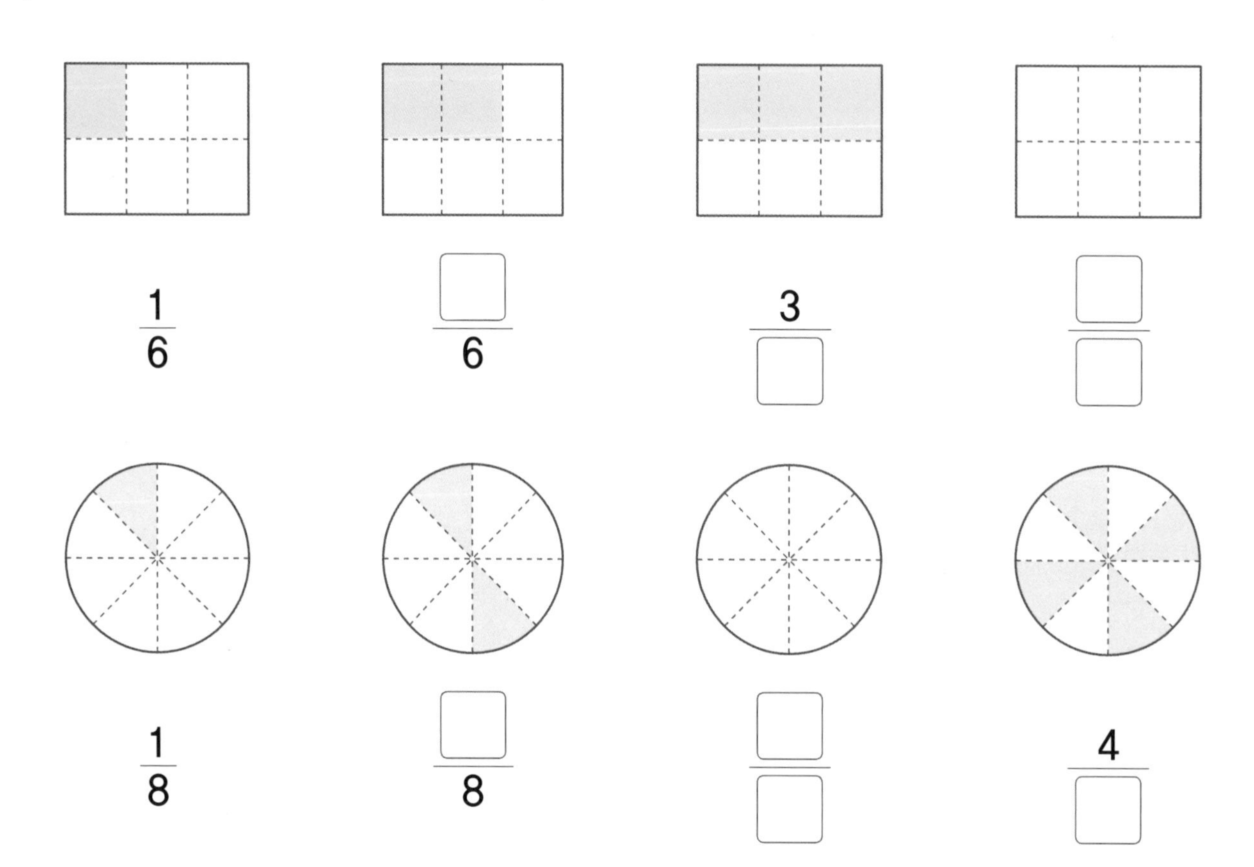

2 왼쪽 그림에서 색칠한 부분이 전체의 $\frac{7}{10}$이 되도록 색칠하려고 합니다. 나머지를 칠하고 □ 안에 알맞은 수를 쓰세요.

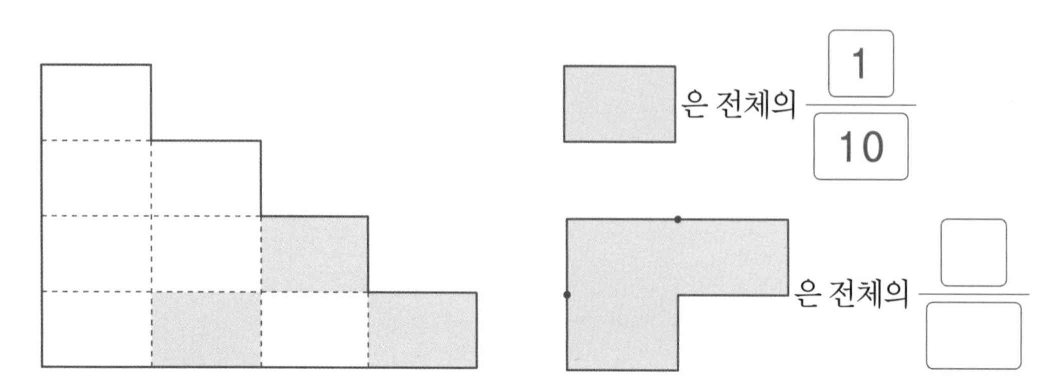

3 사각형을 세 가지 방법으로 똑같이 나누어 $\frac{5}{8}$ 만큼 색칠해 보세요.

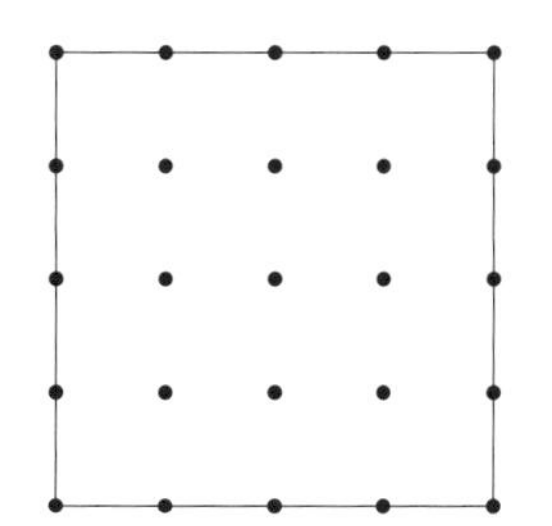
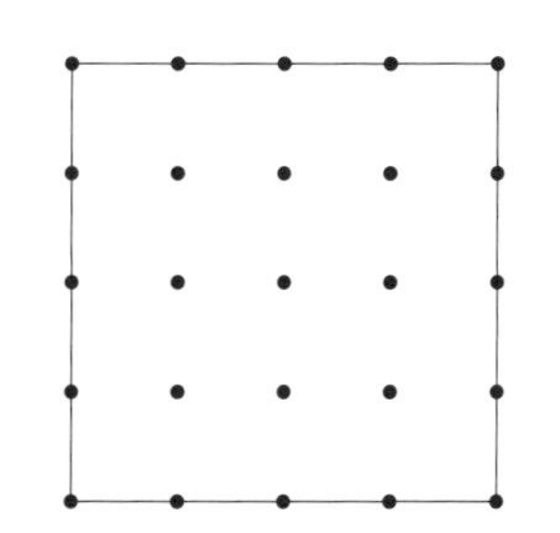
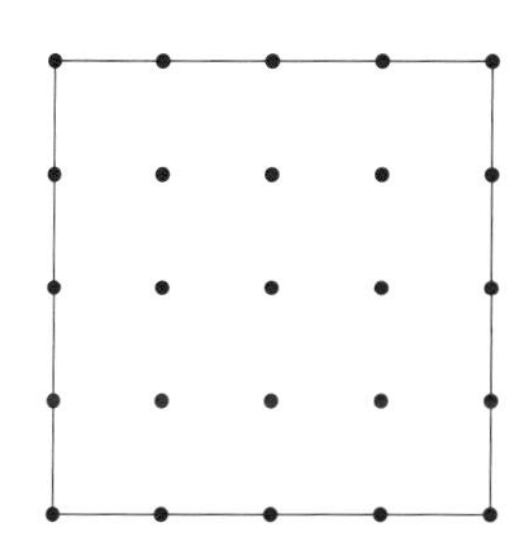

4 밭의 $\frac{2}{9}$ 에는 고구마를 심고, $\frac{4}{9}$ 에는 감자를 심었습니다.

고구마를 심은 부분을 색칠하세요.

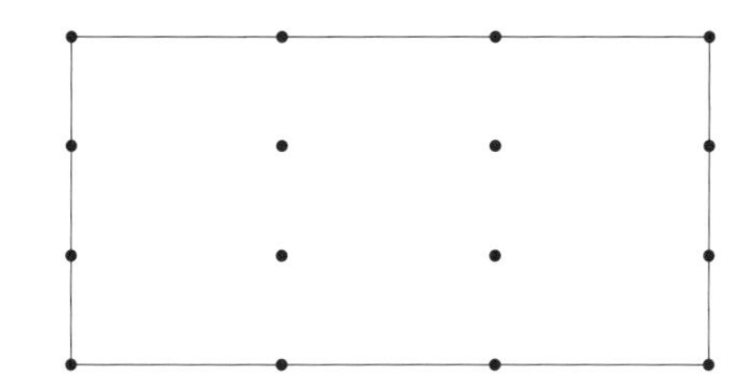

감자를 심은 부분을 색칠하세요.

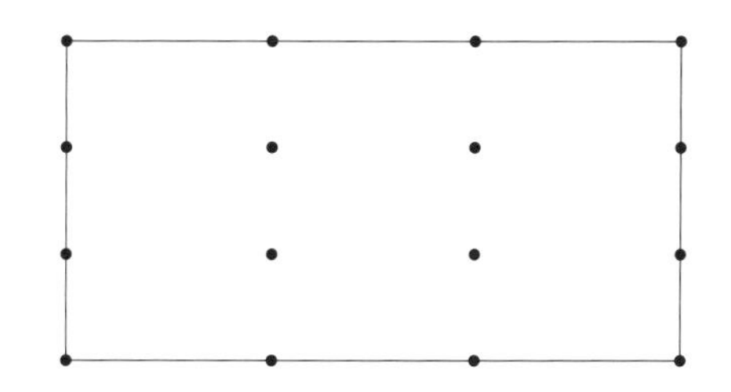

5 피자를 준호는 전체의 $\frac{2}{7}$ 를 먹었고, 형철이는 전체의 $\frac{3}{7}$ 을 먹었습니다. 남은 피자를 색칠하고, 분수로 나타내세요.

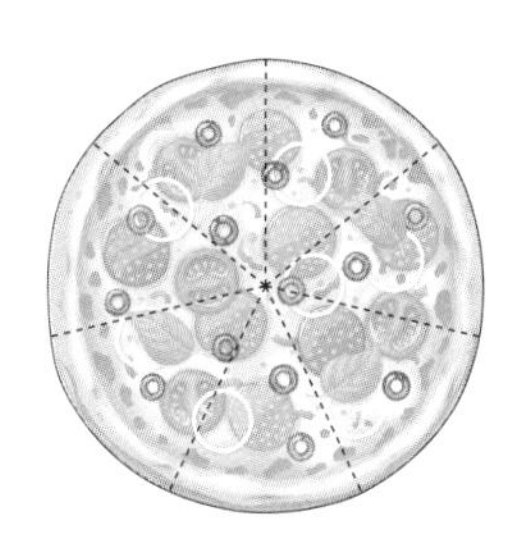

형성평가

1 똑같이 둘로 나누어진 도형을 모두 찾아 ◯표 하세요.

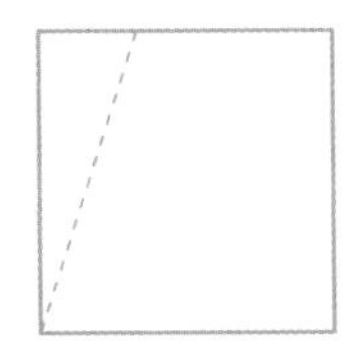 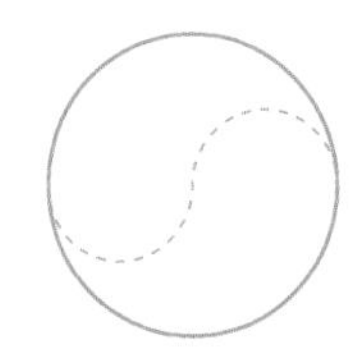  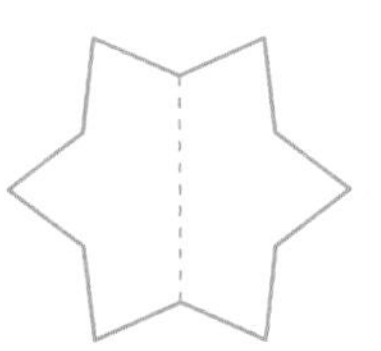

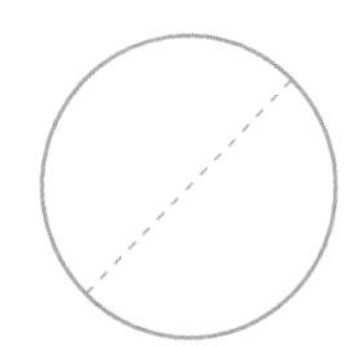 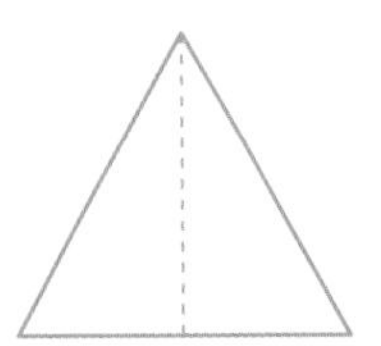 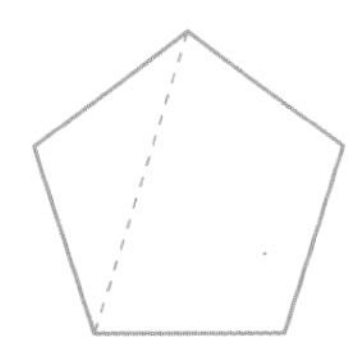 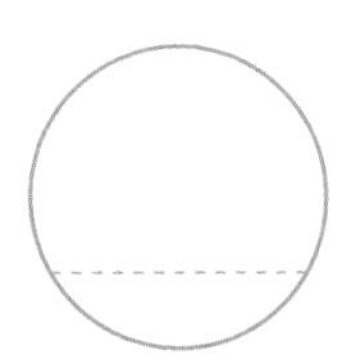

2 똑같이 나누어진 도형을 모두 찾아 ◯표 하세요.

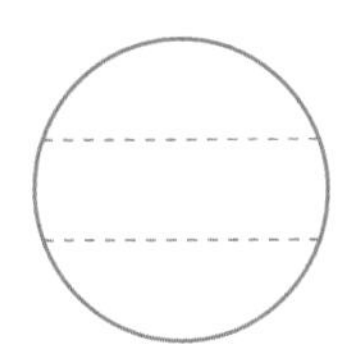 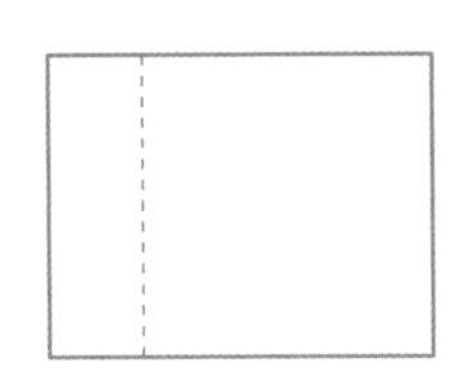 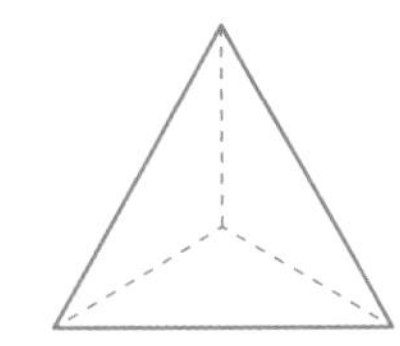 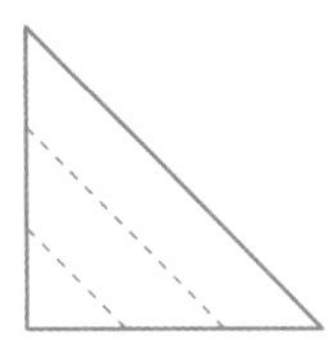

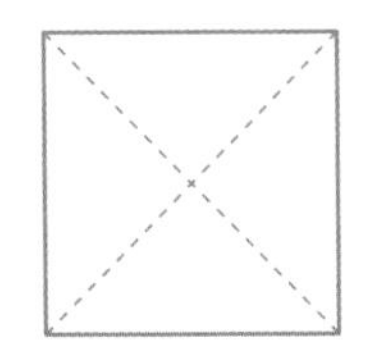 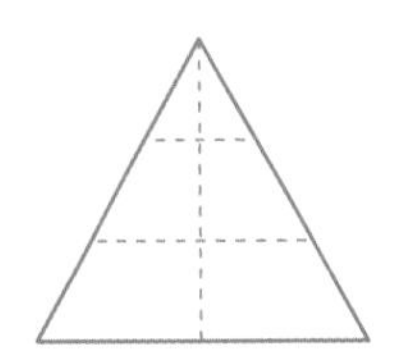 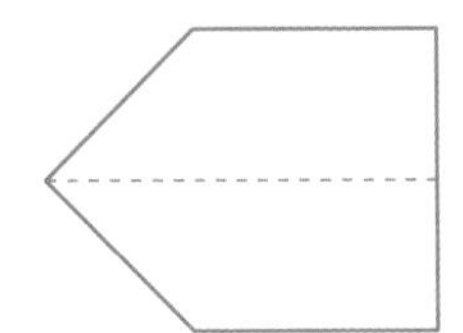 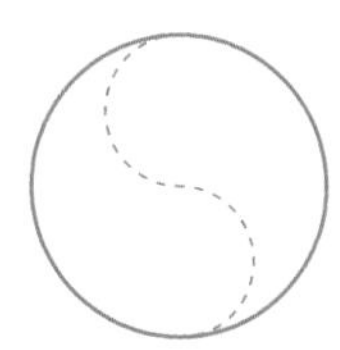

3 색칠한 부분이 나타내는 분수가 다른 하나를 찾아 ╳표 하세요.

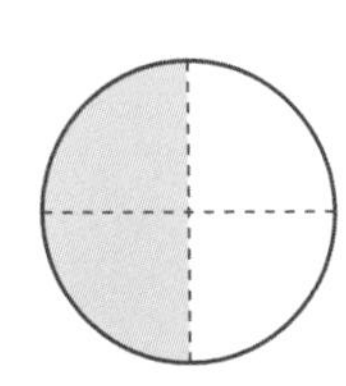 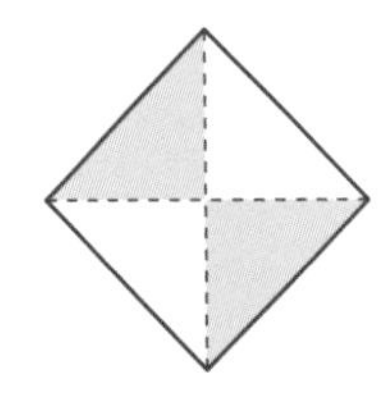 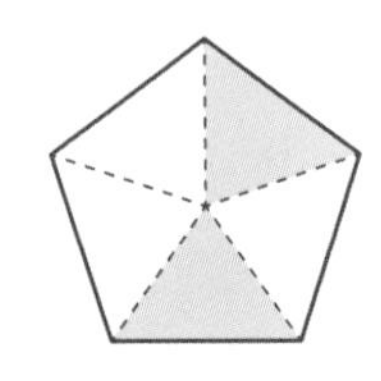 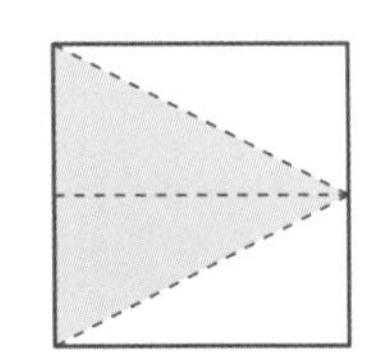

4 점을 이용하여 전체를 똑같이 나누고 부분에 맞게 색칠하세요.

전체를 똑같이 5로 나눈 것 중의 4

전체를 똑같이 6으로 나눈 것 중의 3

5 관계있는 것끼리 선으로 이으세요.

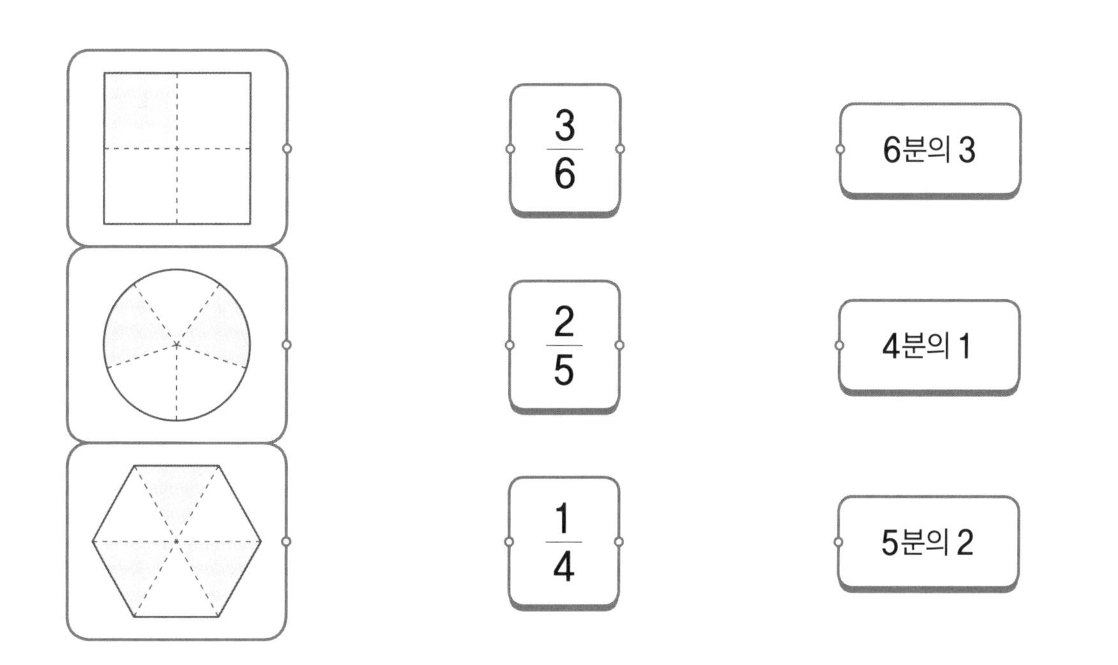

7 종이의 16분의 4에는 빨간색을 색칠하고, 16분의 9에는 파란색을 색칠하려고 합니다.

빨간색과 파란색을 알맞게 색칠하세요.

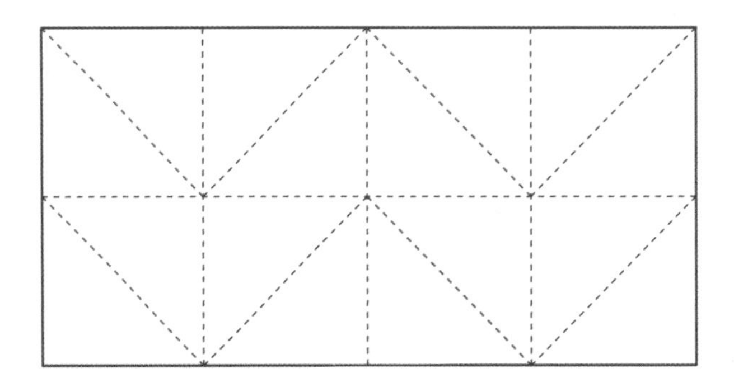

색칠하지 않은 부분을 분수로 나타내세요.

8 사과 파이 8조각 중 재영이는 2조각을 먹었고 수진이는 3조각을 먹었습니다. 남은 사과 파이를 색칠하고, 분수로 나타내세요.

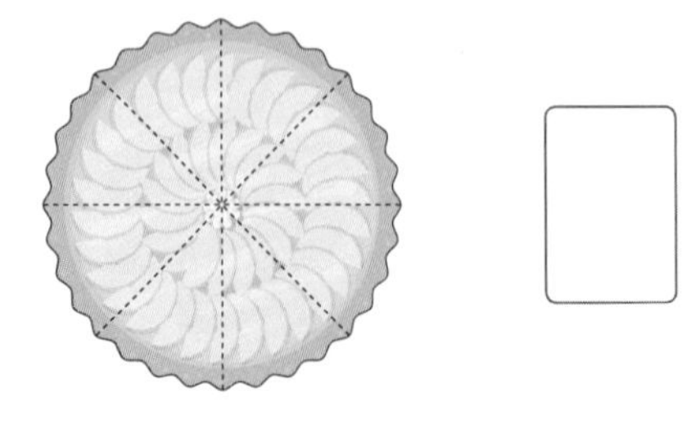

분수의 크기 비교 (1)

진분수의 크기 비교하기

분모가 같은 분수의 크기 비교

분모가 같은 분수의 크기를 비교하여 봅시다.

$\frac{3}{6}$

$\frac{2}{6}$

$\frac{3}{6}$ (>) $\frac{2}{6}$

$\frac{3}{6}$은 $\frac{1}{6}$이 3, $\frac{2}{6}$는 $\frac{1}{6}$이 2이므로 $\frac{3}{6}$은 $\frac{2}{6}$보다 큽니다. 분모가 같을 때 분자가 큰 분수가 더 큽니다.

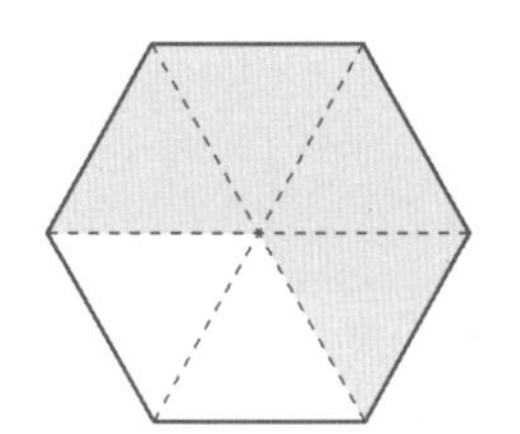
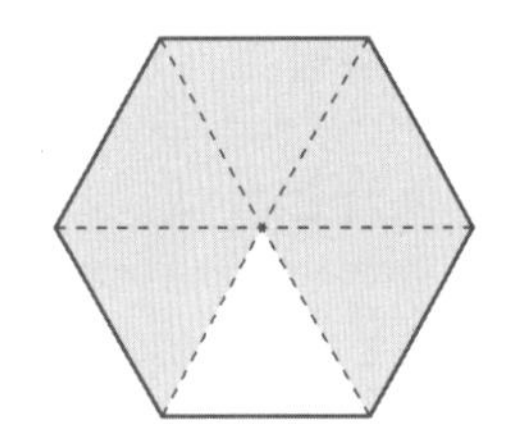

$\frac{4}{6}$ ○ $\frac{5}{6}$

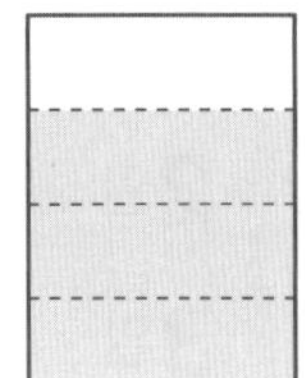
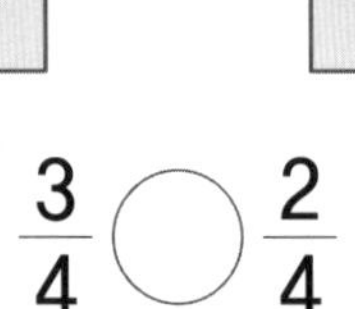

$\frac{3}{4}$ ○ $\frac{2}{4}$

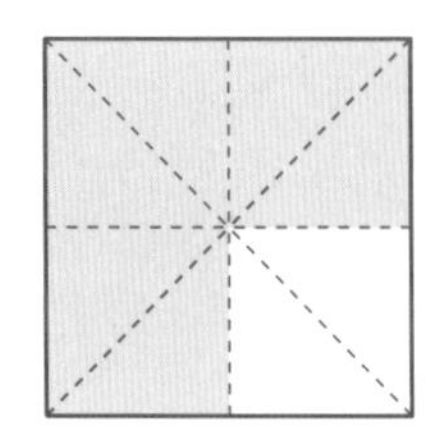
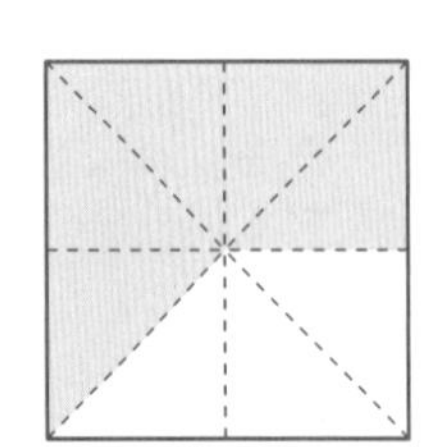

$\frac{6}{8}$ ○ $\frac{5}{8}$

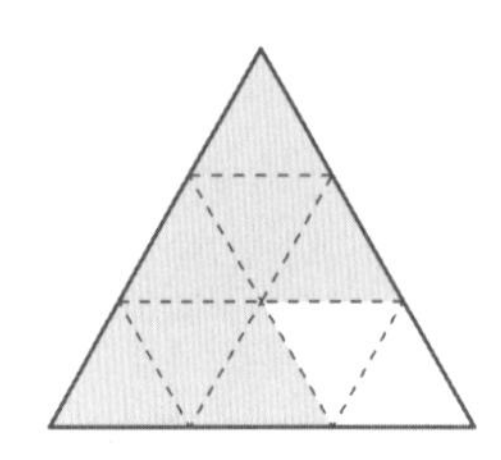
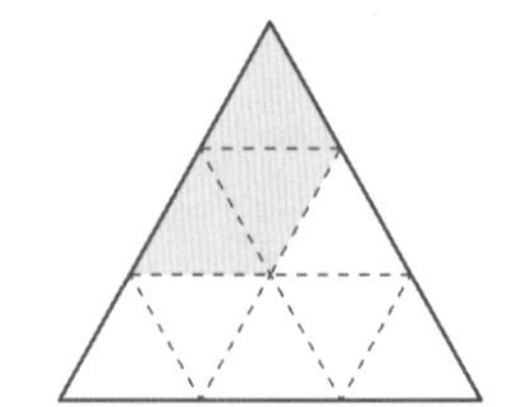

$\frac{7}{9}$ ○ $\frac{3}{9}$

분수만큼 색칠하고,

◯ 안에 >, <를 쓰세요.

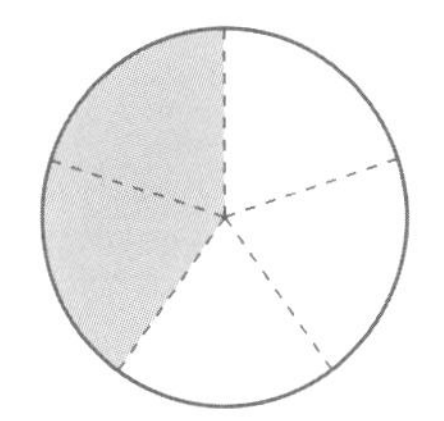

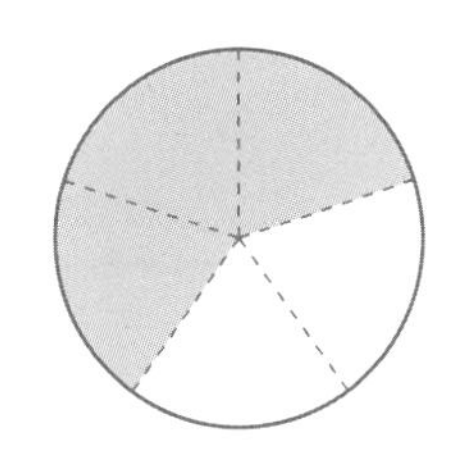

$\frac{2}{5}$ ◯(<) $\frac{3}{5}$

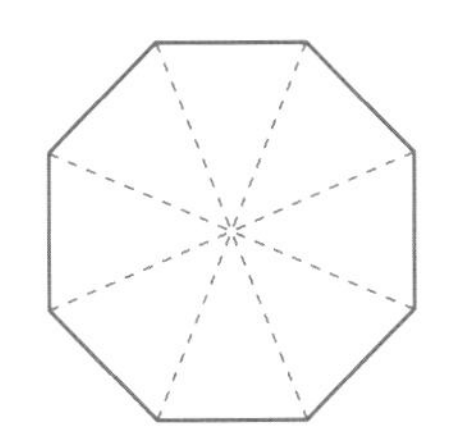

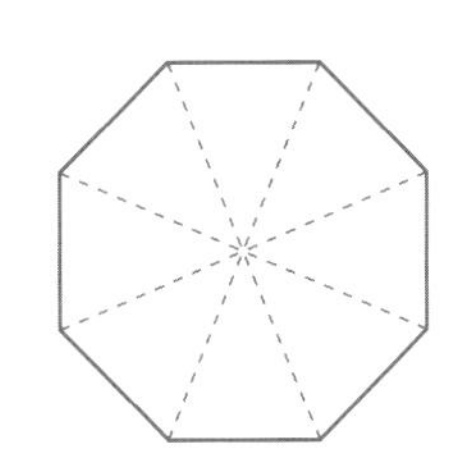

$\frac{6}{8}$ ◯ $\frac{7}{8}$

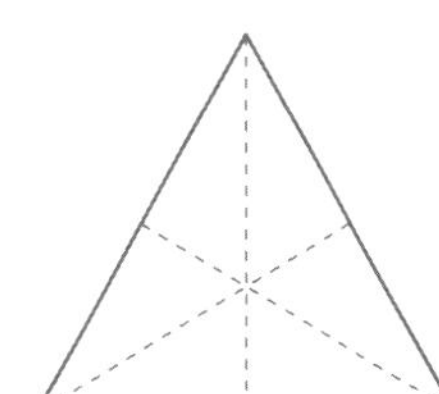

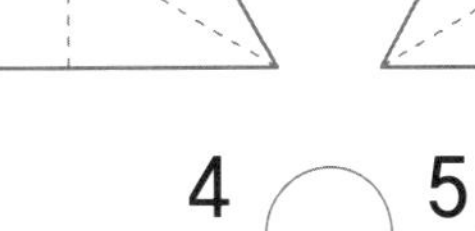

$\frac{4}{6}$ ◯ $\frac{5}{6}$

$\frac{3}{6}$ ◯ $\frac{2}{6}$

$\frac{3}{8}$ ◯ $\frac{2}{8}$

$\frac{6}{9}$ ◯ $\frac{4}{9}$

$\frac{7}{10}$ ◯ $\frac{9}{10}$

$\frac{10}{12}$ ◯ $\frac{11}{12}$

$\frac{5}{14}$ ◯ $\frac{3}{14}$

$\frac{3}{7}$ ◯ $\frac{4}{7}$ ◯ $\frac{6}{7}$

$\frac{8}{11}$ ◯ $\frac{5}{11}$ ◯ $\frac{4}{11}$

1 다음과 같이 수직선에 분수를 표시하고, 분수의 크기를 비교하여 ◯ 안에 >, <를 쓰세요.

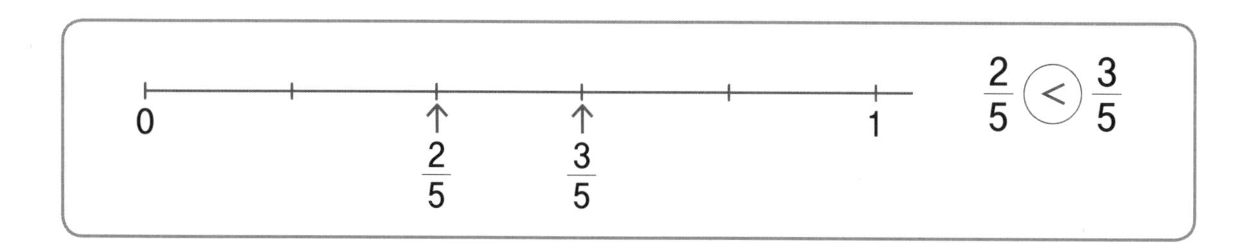

$\frac{2}{5} < \frac{3}{5}$

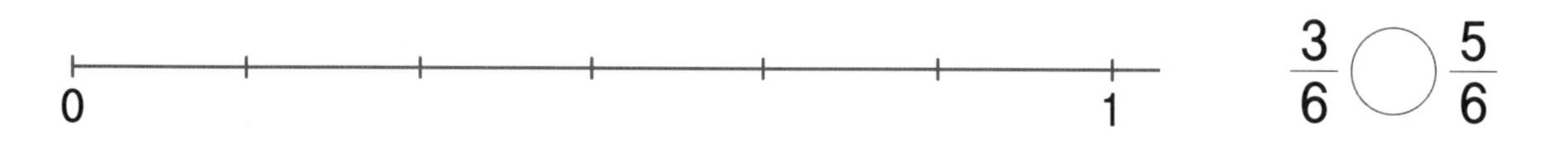

$\frac{3}{6}$ ◯ $\frac{5}{6}$

$\frac{7}{10}$ ◯ $\frac{9}{10}$

2 □ 안에 들어갈 수 있는 수를 찾아 ◯표 하세요.

$\frac{3}{7} < \frac{\square}{7}$

2 3 4

$\frac{\square}{9} < \frac{5}{9}$

4 5 6

$\frac{7}{11} > \frac{\square}{11}$

6 7 8

$\frac{5}{8} < \frac{\square}{8} < \frac{7}{8}$

5 6 7

$\frac{3}{13} < \frac{\square}{13} < \frac{8}{13}$

1 5 9

3 가장 큰 분수에 ◯표, 가장 작은 분수에 △표 하세요.

$\frac{3}{12}$ $\frac{4}{12}$ $\frac{6}{12}$ $\frac{8}{12}$ $\frac{10}{12}$

$\frac{8}{15}$ $\frac{14}{15}$ $\frac{12}{15}$ $\frac{3}{15}$ $\frac{7}{15}$

4 승민이와 준희는 크기가 같은 빵을 각각 1개씩 가지고 있습니다. 가지고 있는 빵을 승민이는 $\frac{3}{5}$ 만큼 먹었고, 준희는 $\frac{2}{5}$ 만큼 먹었습니다. 누가 빵을 더 많이 먹었을까요?

5 각자 먹은 피자의 양을 분수로 나타내고, 가장 많이 먹은 사람부터 차례대로 이름을 쓰세요. (단, 진한 부분은 먹고 남은 양입니다.)

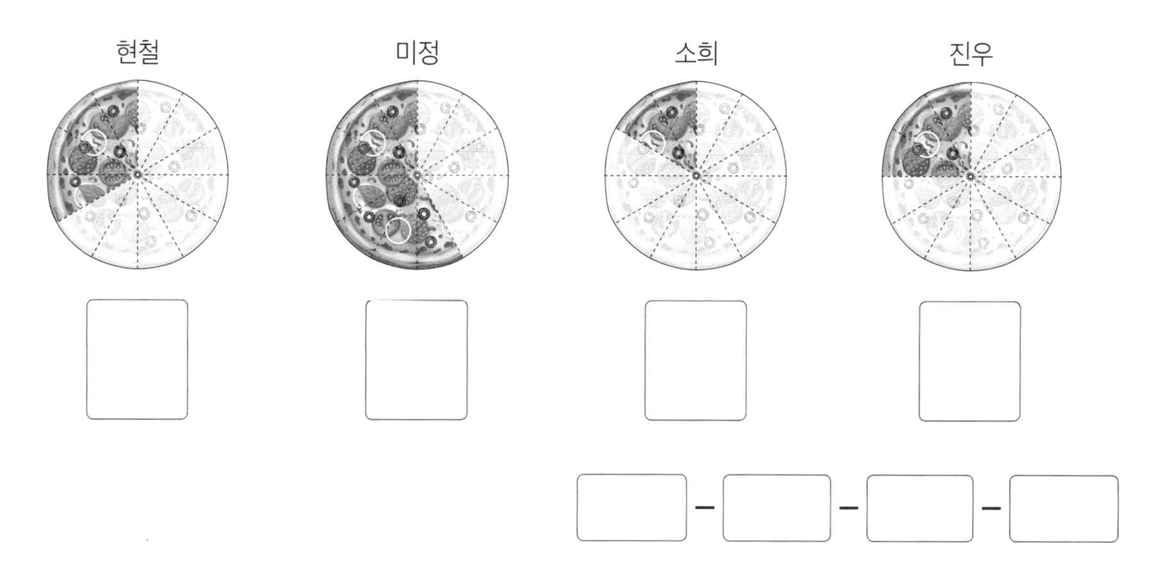

단위분수의 크기 비교

분자가 1인 단위분수의 크기를 비교하여 봅시다.

$\frac{1}{3}$

$\frac{1}{4}$

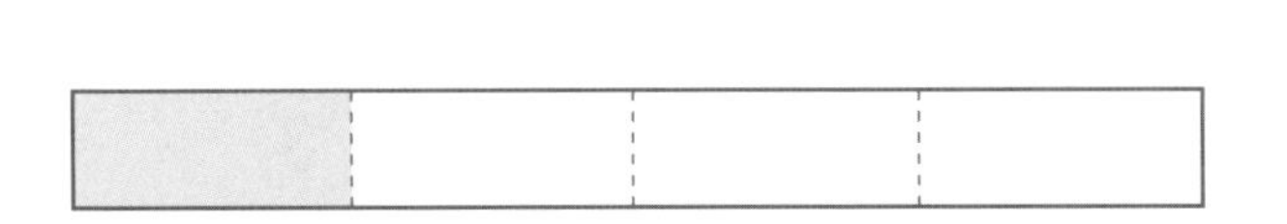

$\frac{1}{3} > \frac{1}{4}$

전체를 3으로 나눈 것 중의 하나는 전체를 4로 나눈 것 중의 하나보다 큽니다.
분자가 1인 단위분수의 크기를 비교하면 분모가 작은 단위분수가 더 큽니다.

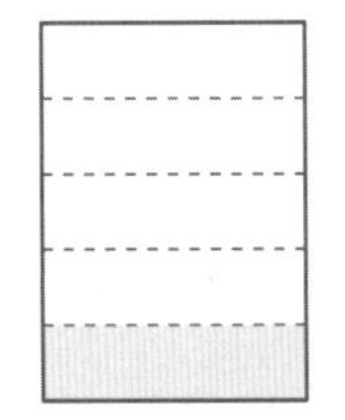 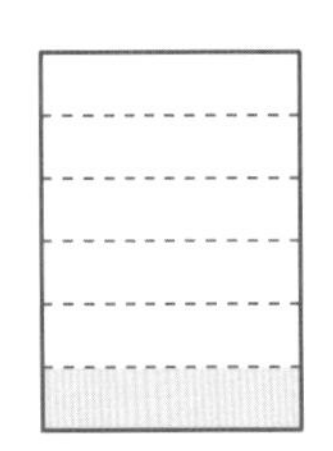

$\frac{1}{5}$ ○ $\frac{1}{6}$

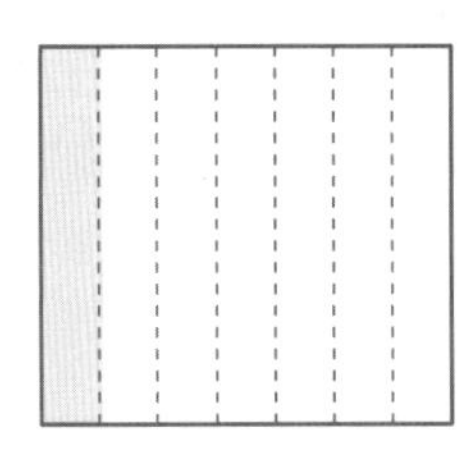 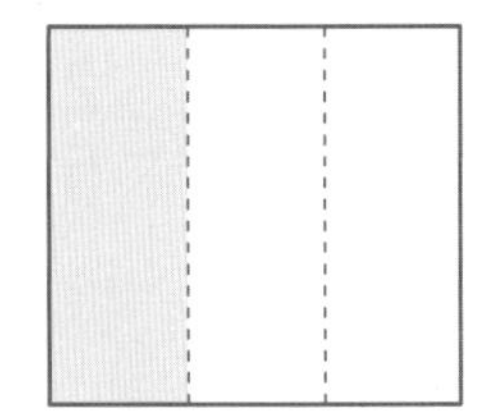

$\frac{1}{7}$ ○ $\frac{1}{3}$

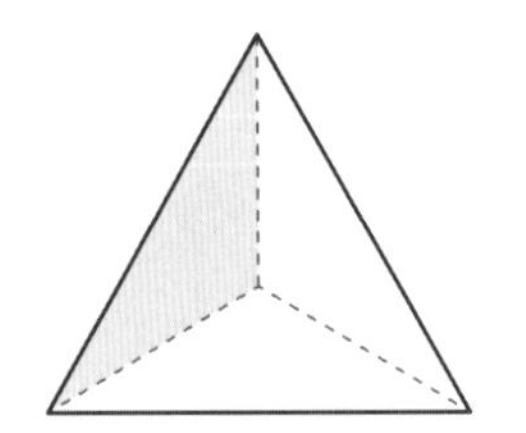 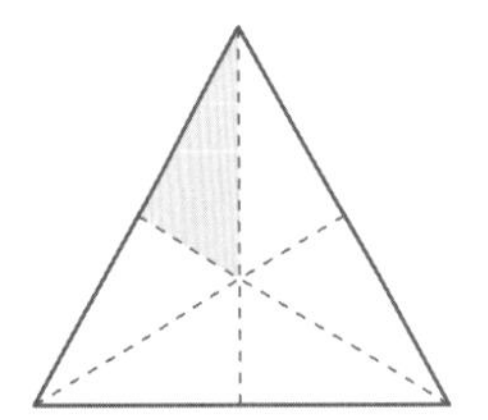

$\frac{1}{3}$ ○ $\frac{1}{6}$

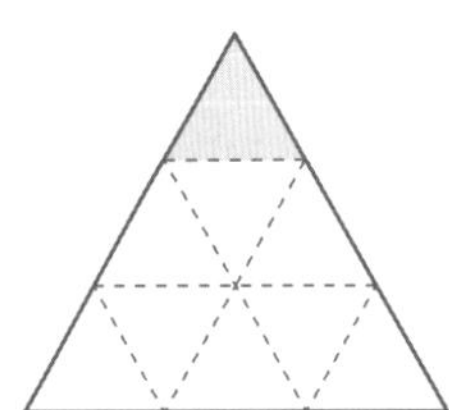 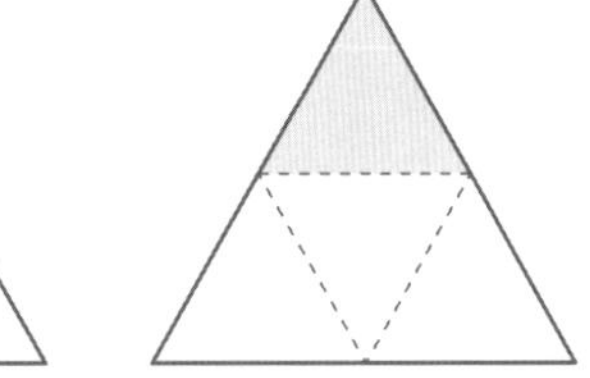

$\frac{1}{9}$ ○ $\frac{1}{4}$

분수만큼 색칠하고,
○ 안에 >, <를 쓰세요.

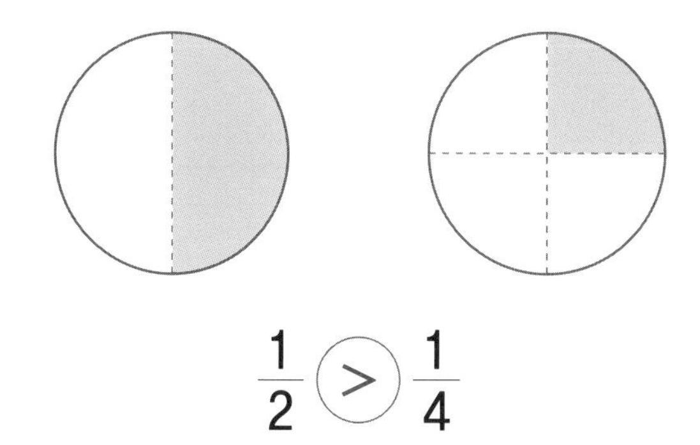

$\frac{1}{2}$ (>) $\frac{1}{4}$

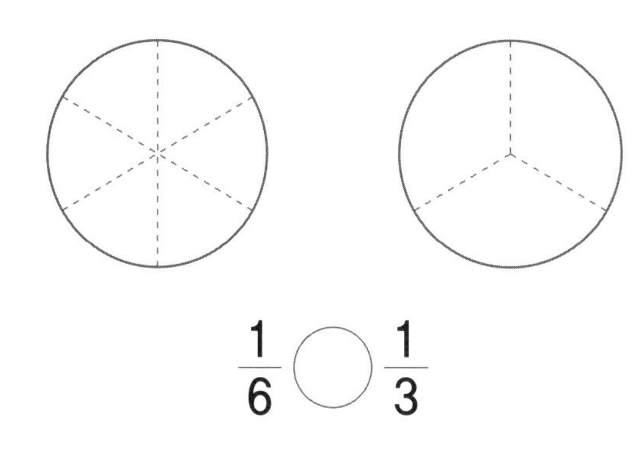

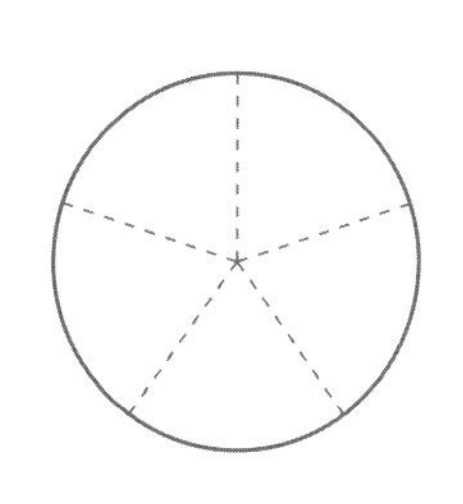

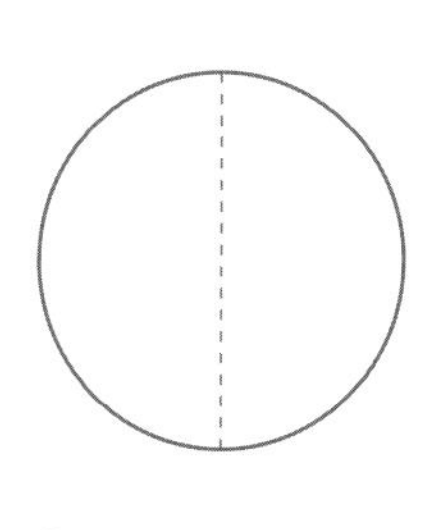

$\frac{1}{6}$ ○ $\frac{1}{3}$

$\frac{1}{5}$ ○ $\frac{1}{2}$

$\frac{1}{9}$ ○ $\frac{1}{2}$

$\frac{1}{3}$ ○ $\frac{1}{8}$

$\frac{1}{4}$ ○ $\frac{1}{7}$

$\frac{1}{12}$ ○ $\frac{1}{11}$

$\frac{1}{15}$ ○ $\frac{1}{9}$

$\frac{1}{6}$ ○ $\frac{1}{10}$

$\frac{1}{3}$ ○ $\frac{1}{4}$ ○ $\frac{1}{5}$

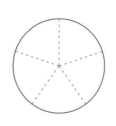

$\frac{1}{17}$ ○ $\frac{1}{10}$ ○ $\frac{1}{2}$

1 수직선에 분수를 표시하고, 분수의 크기를 비교하여 ◯ 안에 >, <를 쓰세요.

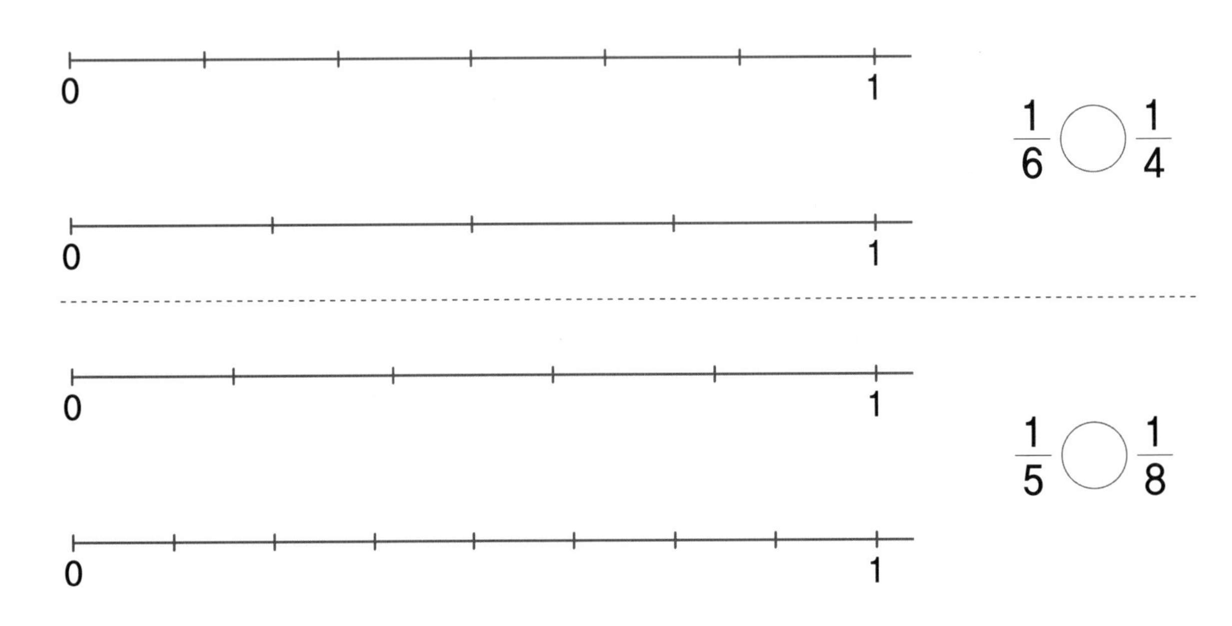

2 분수의 크기 비교에 맞게 ▭ 안의 분수를 빈칸에 쓰세요.

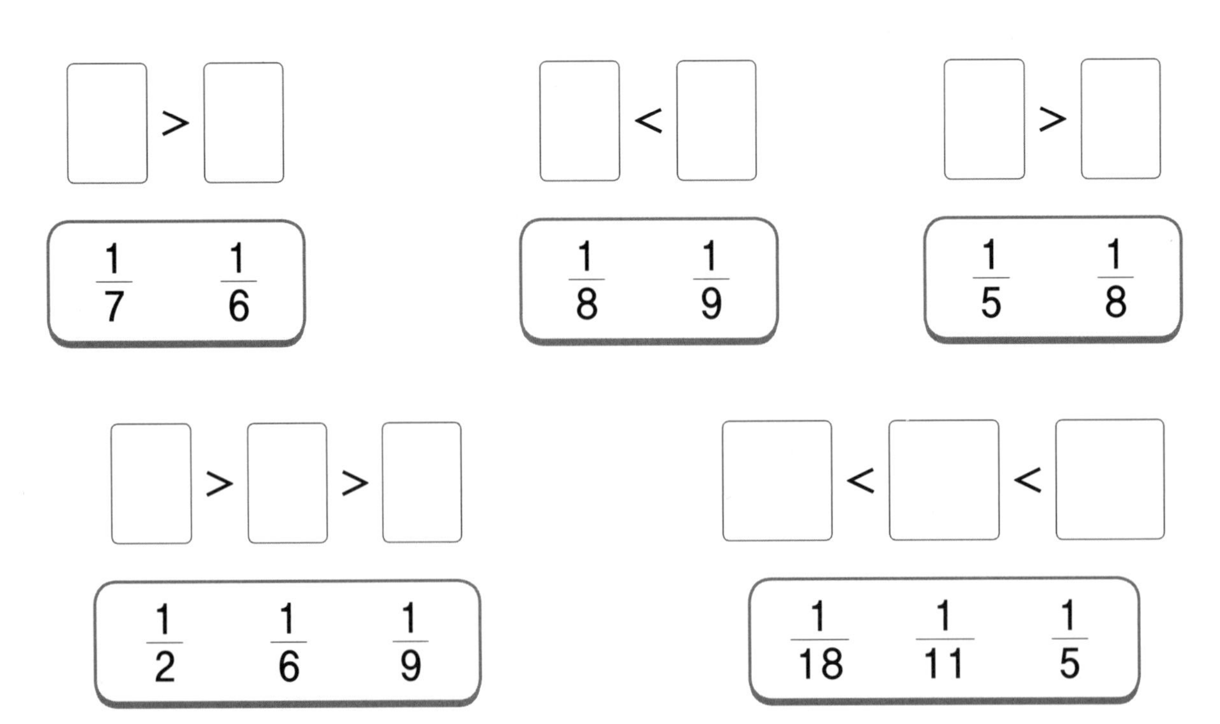

3 주어진 분수를 작은 것부터 차례대로 쓰세요.

$\frac{1}{2}$ $\frac{1}{3}$ $\frac{1}{4}$ $\frac{1}{6}$

4 주어진 분수를 큰 것부터 차례대로 쓰세요.

$\frac{1}{10}$ $\frac{1}{100}$ $\frac{1}{20}$ $\frac{1}{1000}$ $\frac{1}{50}$

5 다음 조건에 맞는 분수를 모두 쓰세요.

- $\frac{1}{8}$보다 큰 분수입니다.
- 분모는 4보다 큽니다.
- 단위분수입니다.

6 천우, 슬기, 지혜가 주스를 마셨습니다. 컵에는 주스가 각각 $\frac{1}{2}$, $\frac{1}{5}$, $\frac{1}{4}$만큼 남았습니다.

누구의 주스가 가장 많이 남았을까요?

주스를 가장 많이 마신 사람은 누구일까요?

분자 또는 분모가 같은 분수의 크기 비교

개념원리

분모가 같은 분수, 분자가 같은 분수의 크기를 비교하여 봅시다.

$\frac{2}{5}$

$\frac{3}{5}$

$\frac{3}{4}$

$\frac{2}{5} < \frac{3}{5} < \frac{3}{4}$

분모가 같을 때 분자가 클수록 더 큰 분수입니다. $\frac{2}{5} < \frac{3}{5}$

분자가 같을 때 분모가 작을수록 더 큰 분수입니다. $\frac{3}{5} < \frac{3}{4}$

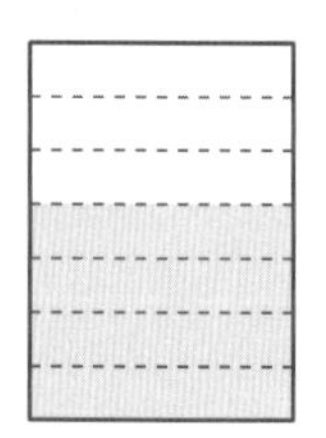

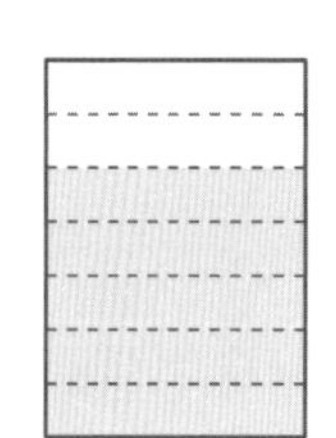

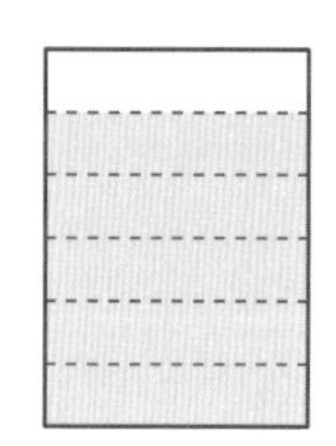

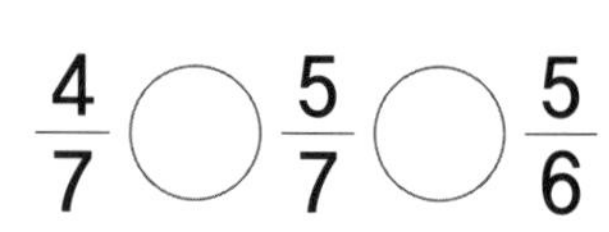

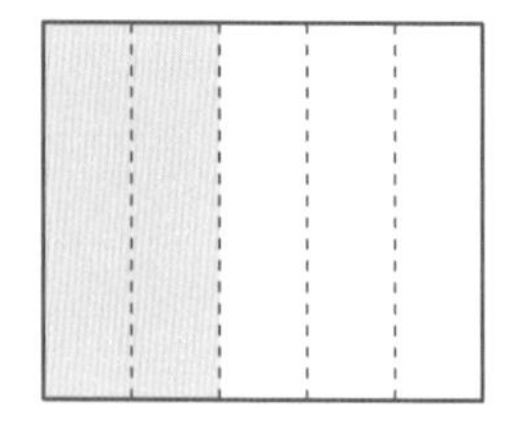

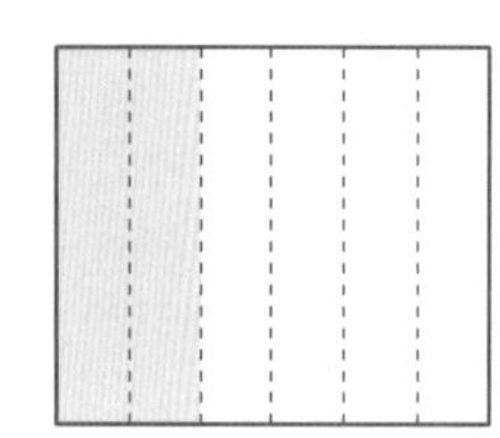

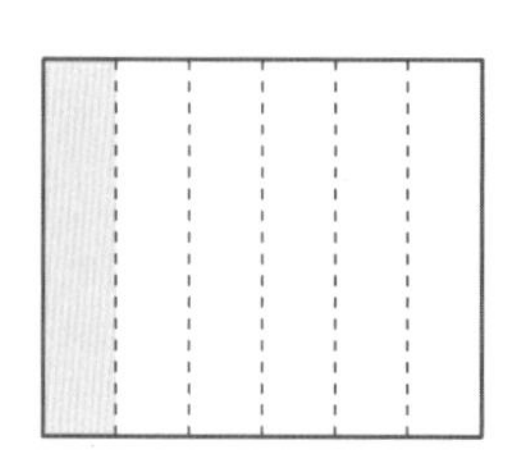

$\frac{2}{5}$ ○ $\frac{2}{6}$ ○ $\frac{1}{6}$

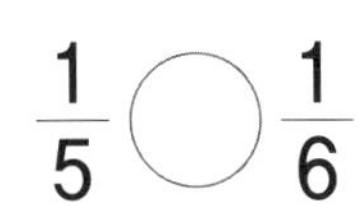

$\frac{1}{5} \bigcirc \frac{1}{6}$ $\frac{2}{5} \bigcirc \frac{1}{5}$ $\frac{3}{8} \bigcirc \frac{3}{7}$

$\frac{2}{9} \bigcirc \frac{7}{9}$ $\frac{5}{7} \bigcirc \frac{5}{6}$ $\frac{4}{7} \bigcirc \frac{6}{7}$

$\frac{1}{8} \bigcirc \frac{1}{3}$ $\frac{5}{8} \bigcirc \frac{3}{8}$ $\frac{4}{9} \bigcirc \frac{4}{11}$

$\frac{1}{8} \bigcirc \frac{1}{6} \bigcirc \frac{1}{2}$ $\frac{1}{9} \bigcirc \frac{2}{9} \bigcirc \frac{3}{9}$

$\frac{3}{12} \bigcirc \frac{3}{8} \bigcirc \frac{3}{7}$ $\frac{8}{11} \bigcirc \frac{5}{11} \bigcirc \frac{2}{11}$

$\frac{2}{7} \bigcirc \frac{3}{7} \bigcirc \frac{3}{5}$ $\frac{4}{9} \bigcirc \frac{4}{7} \bigcirc \frac{5}{7}$

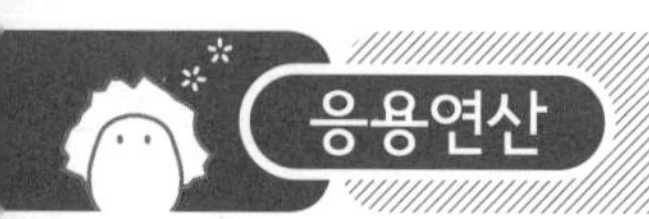

1 두 분수의 크기를 비교하여 더 큰 분수를 □ 안에 쓰세요.

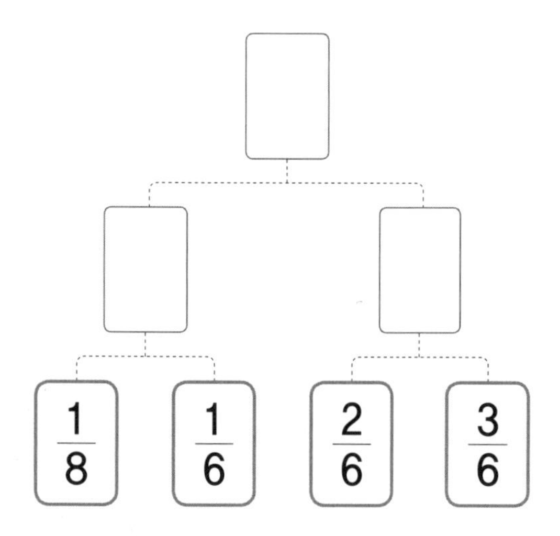

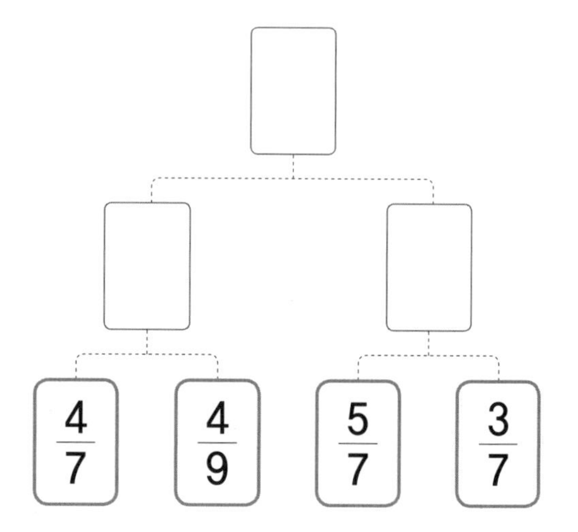

2 □ 안에 들어갈 수 있는 수를 모두 찾아 ○표 하세요.

$\frac{1}{5} < \frac{1}{\square}$

3 4 5 6 7

$\frac{\square}{8} < \frac{3}{8}$

1 2 3 4 5

$\frac{3}{8} < \frac{3}{\square} < \frac{3}{5}$

4 5 6 7 8

$\frac{2}{8} < \frac{\square}{8} < \frac{5}{8}$

2 3 4 5 6

3 ▭ 안에서 ↓가 가리키는 분수를 찾아 빈칸에 쓰세요.

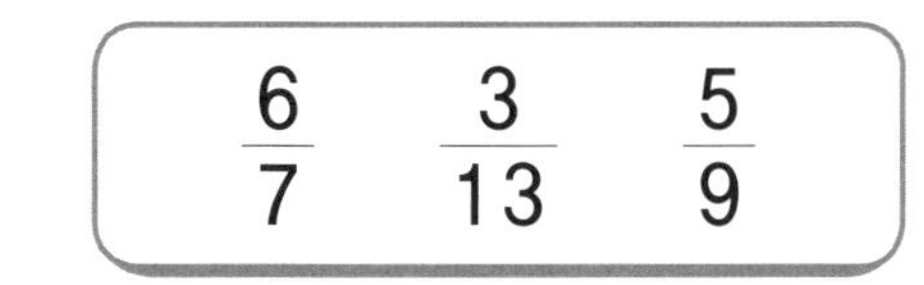

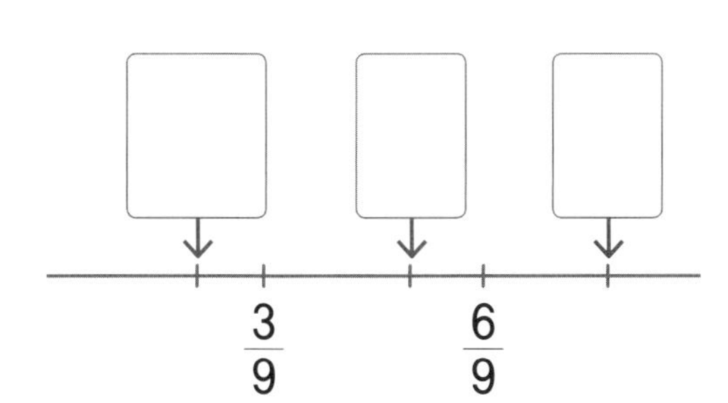

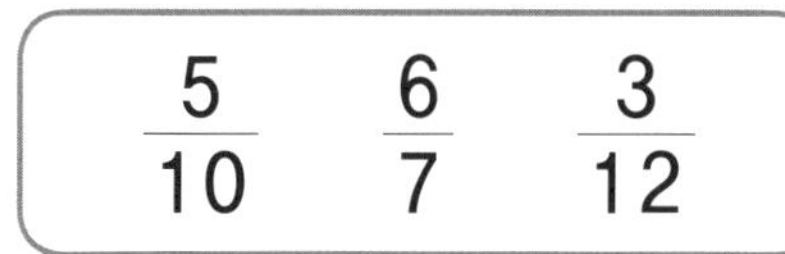

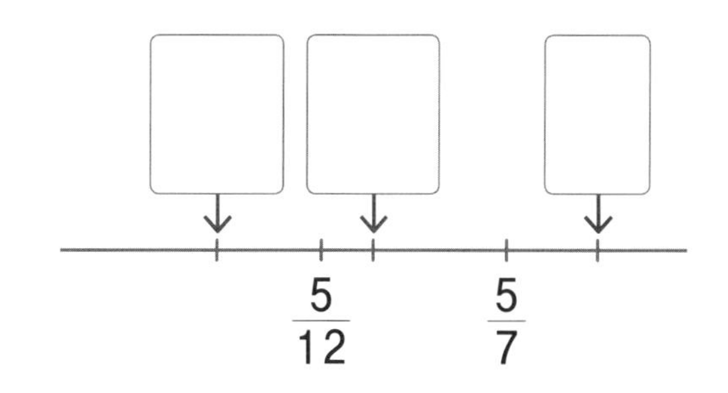

4 다음 분수 중 $\frac{4}{9}$ 보다 작거나 $\frac{7}{9}$ 보다 큰 분수를 모두 찾아 ○표 하세요.

$\frac{4}{11}$ $\frac{7}{8}$ $\frac{5}{9}$ $\frac{6}{9}$ $\frac{8}{9}$

5 크기가 똑같은 사과 3개가 있습니다. 재호는 사과의 $\frac{2}{5}$ 를, 소희는 사과의 $\frac{3}{5}$ 을, 승호는 사과의 $\frac{3}{4}$ 을 먹었습니다. 누가 가장 많이 먹었을까요?

크기가 같은 분수

크기가 같은 분수를 알아봅시다.

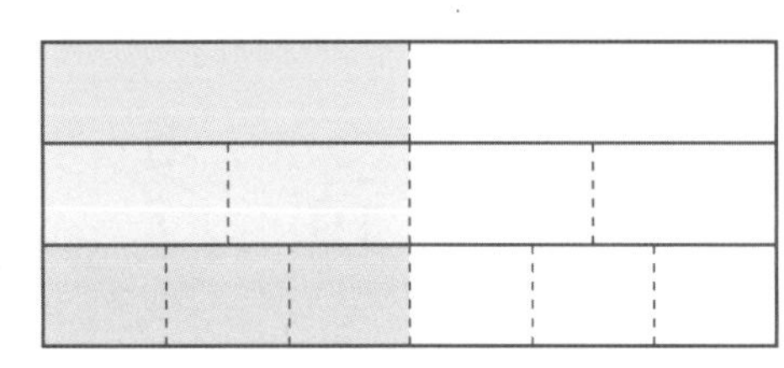

$\frac{\boxed{1}}{2} = \frac{2}{4} = \frac{3}{\boxed{6}}$

분모, 분자에 0이 아닌 같은 수를 곱하면 크기가 같은 분수가 됩니다. $\frac{1}{2} = \frac{1 \times 2}{2 \times 2} = \frac{2}{4}$

분모, 분자에 0이 아닌 같은 수를 나누어도 크기가 같은 분수가 됩니다. $\frac{3}{6} = \frac{3 \div 3}{6 \div 3} = \frac{1}{2}$

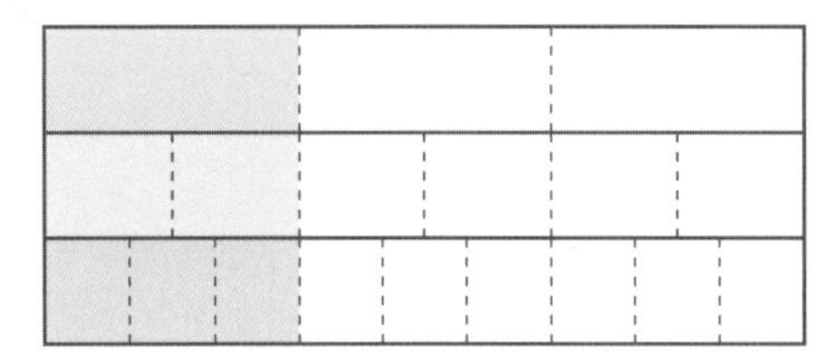

$\frac{\square}{3} = \frac{2}{6} = \frac{3}{\square}$

$\frac{3}{\square} = \frac{6}{8} = \frac{\square}{12}$

$\frac{\square}{5} = \frac{6}{10} = \frac{9}{\square}$

$\frac{2}{3}=\frac{2\times2}{3\times2}=\frac{\square}{6}$

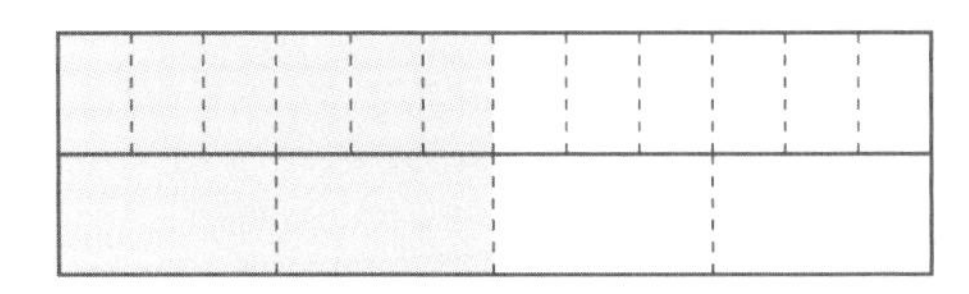

$\frac{6}{12}=\frac{6\div3}{12\div3}=\frac{2}{\square}$

$\frac{3}{5}=\frac{3\times2}{5\times2}=\frac{6}{\square}$

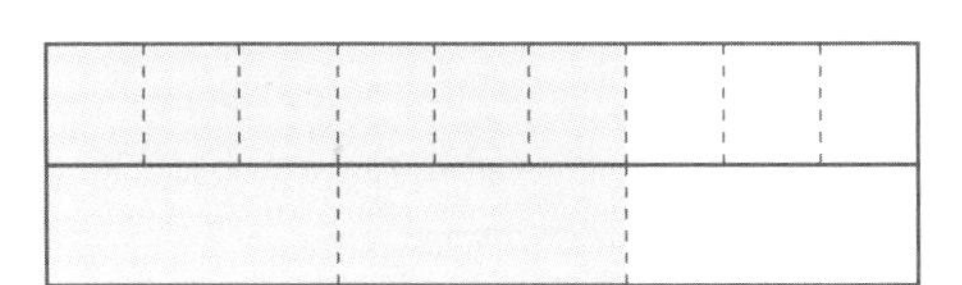

$\frac{6}{9}=\frac{6\div3}{9\div3}=\frac{\square}{3}$

$\frac{1}{4}=\frac{\square}{12}$ $\frac{3}{9}=\frac{1}{\square}$ $\frac{2}{7}=\frac{\square}{14}$

$\frac{6}{12}=\frac{3}{\square}$ $\frac{1}{5}=\frac{\square}{10}$ $\frac{4}{10}=\frac{2}{\square}$

$\frac{3}{6}=\frac{\square}{12}$ $\frac{3}{15}=\frac{1}{\square}$ $\frac{3}{7}=\frac{\square}{21}$

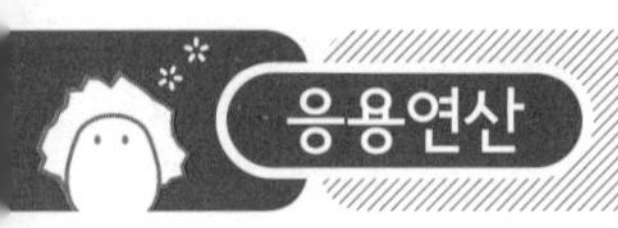

1 크기가 같은 분수끼리 선으로 이으세요.

$\frac{1}{2}$	$\frac{4}{6}$	$\frac{6}{9}$	$\frac{4}{5}$	$\frac{8}{10}$	$\frac{4}{12}$
$\frac{2}{3}$	$\frac{3}{6}$	$\frac{3}{12}$	$\frac{1}{3}$	$\frac{6}{8}$	$\frac{12}{15}$
$\frac{1}{4}$	$\frac{2}{8}$	$\frac{6}{12}$	$\frac{3}{4}$	$\frac{2}{6}$	$\frac{9}{12}$

2 왼쪽 분수와 크기가 같은 분수를 모두 찾아 ◯표 하세요.

$\frac{3}{5}$ …… $\frac{5}{10}$ $\frac{6}{10}$ $\frac{9}{15}$ $\frac{12}{15}$ $\frac{8}{20}$

$\frac{2}{7}$ …… $\frac{1}{7}$ $\frac{2}{6}$ $\frac{4}{14}$ $\frac{5}{28}$ $\frac{6}{21}$

3 다음과 같이 분수를 수직선에 표시하고 크기가 같은 두 분수를 쓰세요.

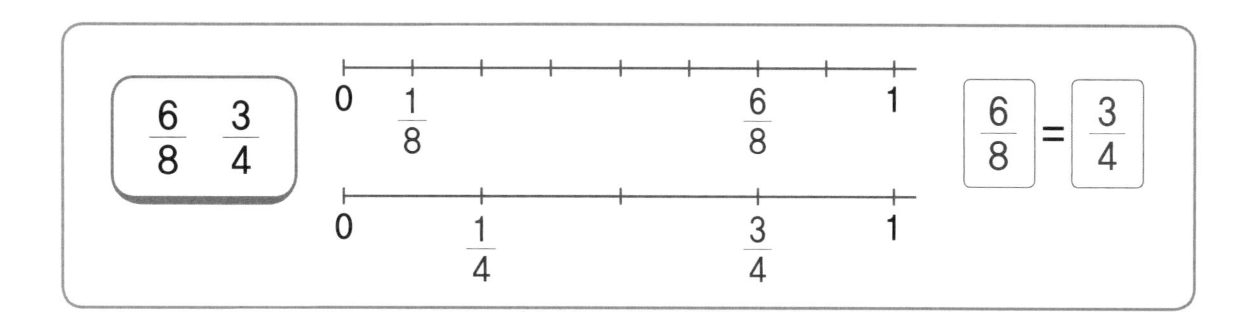

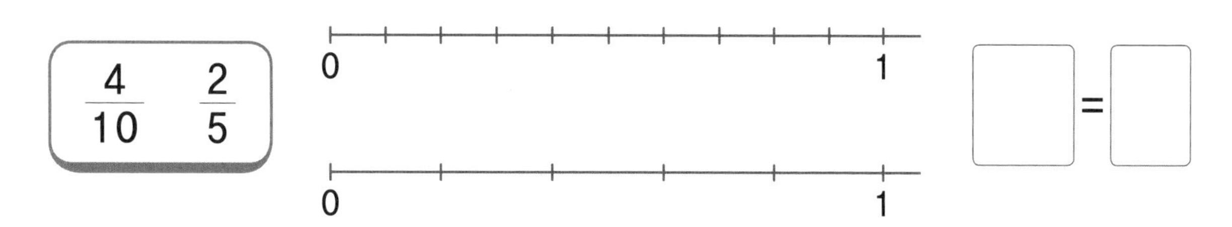

4 크기가 같은 분수입니다. □ 안에 알맞은 수를 쓰세요.

$\frac{2}{3} = \frac{4}{\square} = \frac{\square}{9} = \frac{8}{\square}$

$\frac{2}{5} = \frac{4}{\square} = \frac{\square}{15} = \frac{8}{\square}$

5 지수는 동화책을 $\frac{4}{6}$시간, 수정이는 $\frac{2}{4}$시간, 민정이는 $\frac{3}{5}$시간, 동호는 $\frac{2}{3}$시간 읽었습니다. 동화책을 읽은 시간이 같은 사람은 누구와 누구일까요?

________ 와 ________

형성평가

1 분수의 크기를 비교하여 ◯ 안에 >, <를 쓰세요.

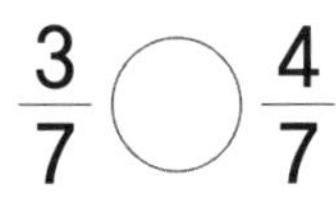

$\frac{3}{7}$ ◯ $\frac{4}{7}$　　$\frac{2}{4}$ ◯ $\frac{2}{5}$　　$\frac{10}{15}$ ◯ $\frac{14}{15}$　　$\frac{9}{12}$ ◯ $\frac{9}{10}$

$\frac{8}{11}$ ◯ $\frac{5}{11}$ ◯ $\frac{4}{11}$　　$\frac{4}{9}$ ◯ $\frac{4}{7}$ ◯ $\frac{4}{5}$

2 민아와 현수는 양이 같은 공기밥을 각각 하나씩 먹었습니다. 민아는 공깃밥의 $\frac{2}{6}$ 만큼 남겼고, 현수는 $\frac{4}{6}$ 만큼 남겼습니다. 누가 더 많이 밥을 먹었을까요?

____

3 수직선에 분수를 표시하고, 분수의 크기를 비교하여 ◯ 안에 >, <를 쓰세요.

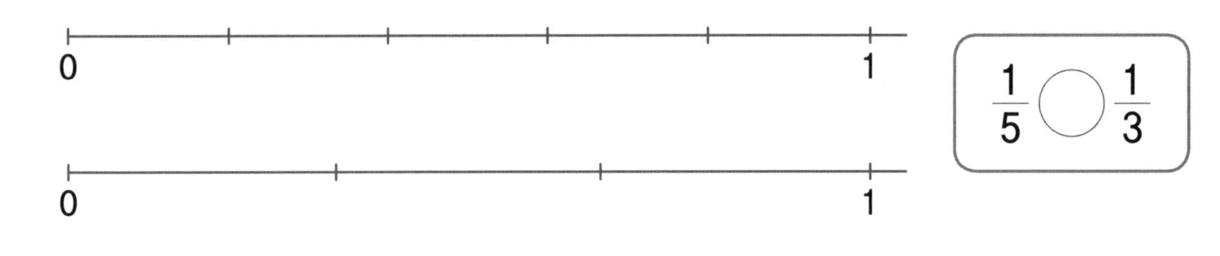

$\frac{1}{5}$ ◯ $\frac{1}{3}$

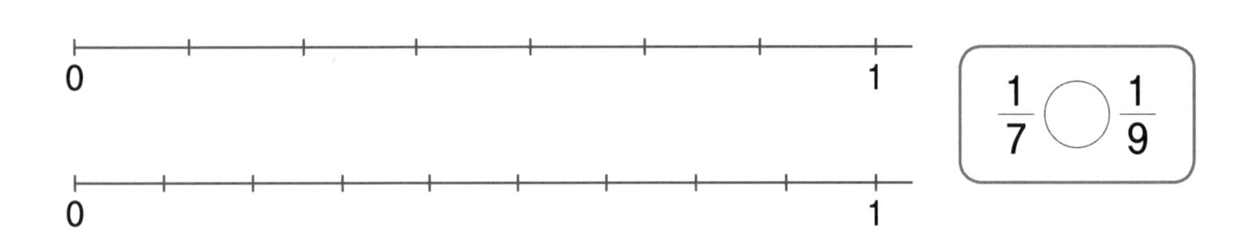

$\frac{1}{7}$ ◯ $\frac{1}{9}$

4 다음 조건에 맞는 분수를 모두 쓰세요.

- 단위분수입니다.
- 분모는 9보다 작습니다.
- $\frac{1}{3}$보다 작은 분수입니다.

5 두 분수의 크기를 비교하여 더 큰 분수를 □ 안에 쓰세요.

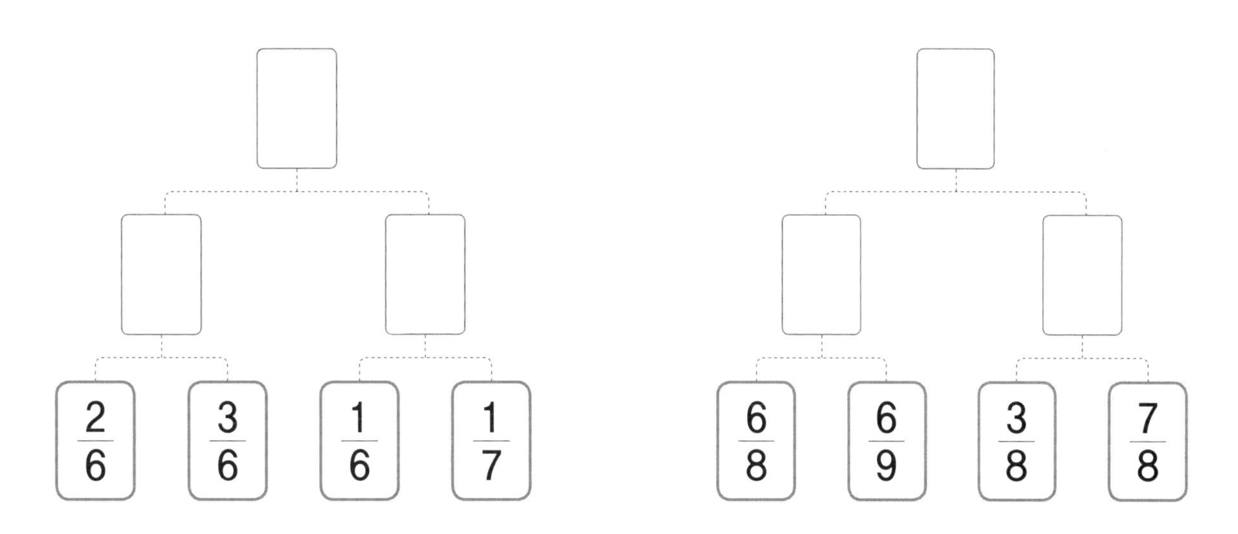

6 같은 크기의 땅에 꽃을 심습니다. 혁진이는 땅의 $\frac{3}{6}$에, 연수는 $\frac{4}{5}$에, 영선이는 $\frac{3}{5}$에 꽃을 심었습니다. 누가 가장 많이 꽃을 심었을까요?

7 크기가 같은 분수끼리 선으로 이으세요.

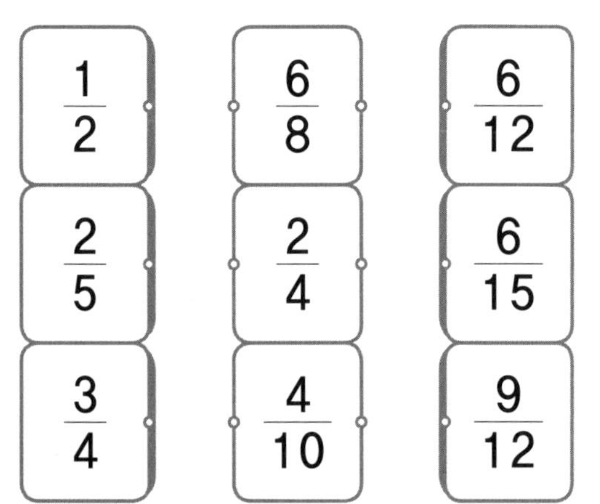

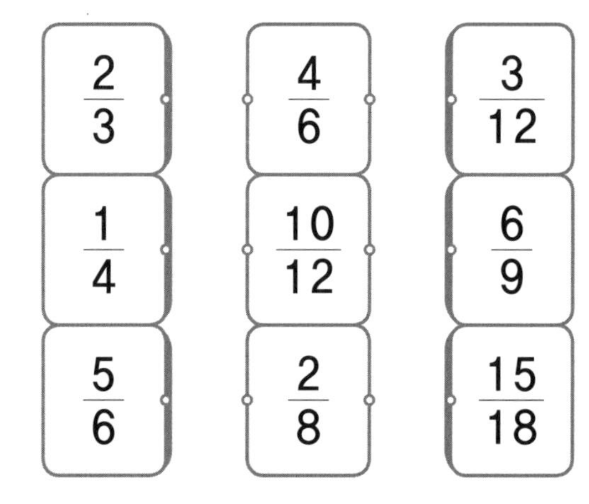

8 수현, 유정, 지윤, 준성이는 같은 길이의 연필을 가지고 있습니다. 수현이는 연필의 $\frac{2}{3}$, 유정이는 $\frac{1}{2}$, 지윤이는 $\frac{3}{4}$, 준성이는 $\frac{3}{6}$ 만큼 사용하였습니다. 연필의 길이가 같은 사람은 누구와 누구일까요?

________ 과 ________

조건과 분수

조건을 만족하는 분수 알아보기

2분의 1과 크기 비교

분수의 크기를 $\frac{1}{2}$과 비교하여 봅시다.

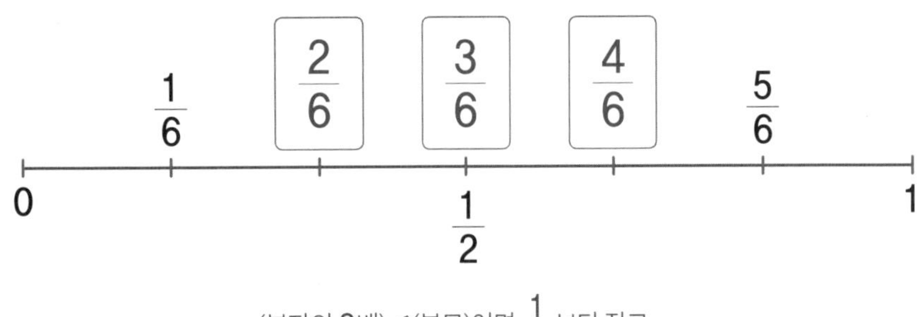

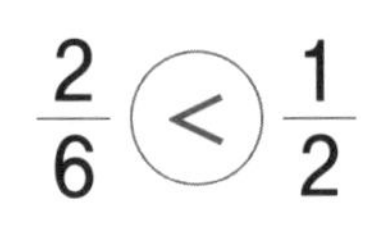

$\frac{2}{6} < \frac{1}{2}$

$\frac{3}{6} = \frac{1}{2}$

$\frac{4}{6} > \frac{1}{2}$

(분자의 2배)<(분모)이면 $\frac{1}{2}$ 보다 작고,

(분자의 2배)=(분모)이면 $\frac{1}{2}$과 같고,

(분자의 2배)>(분모)이면 $\frac{1}{2}$ 보다 큽니다.

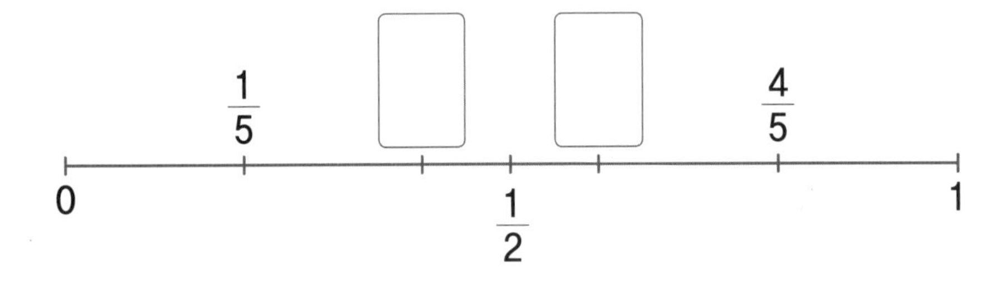

$\frac{2}{5}$ ◯ $\frac{1}{2}$

$\frac{3}{5}$ ◯ $\frac{1}{2}$

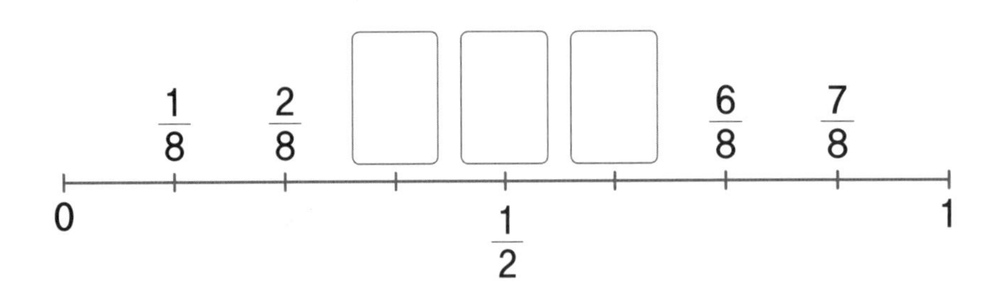

$\frac{3}{8}$ ◯ $\frac{1}{2}$

$\frac{4}{8}$ ◯ $\frac{1}{2}$

$\frac{5}{8}$ ◯ $\frac{1}{2}$

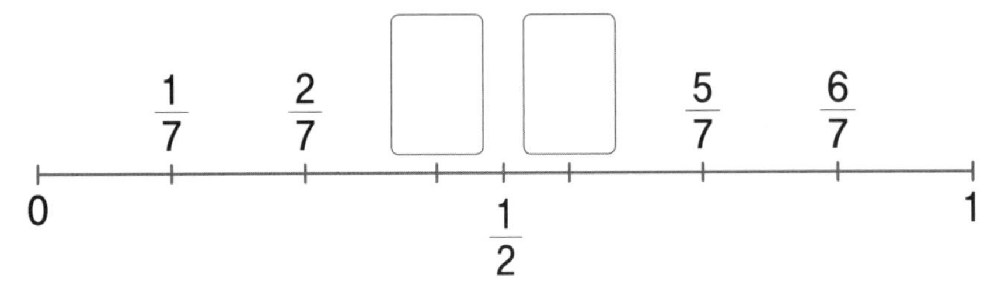

$\frac{3}{7}$ ◯ $\frac{1}{2}$

$\frac{4}{7}$ ◯ $\frac{1}{2}$

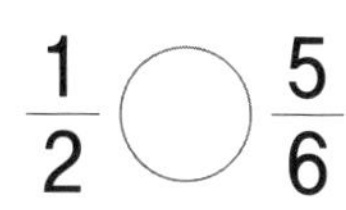

$\frac{1}{2} \bigcirc \frac{5}{6}$

$\frac{1}{2} \bigcirc \frac{1}{6}$

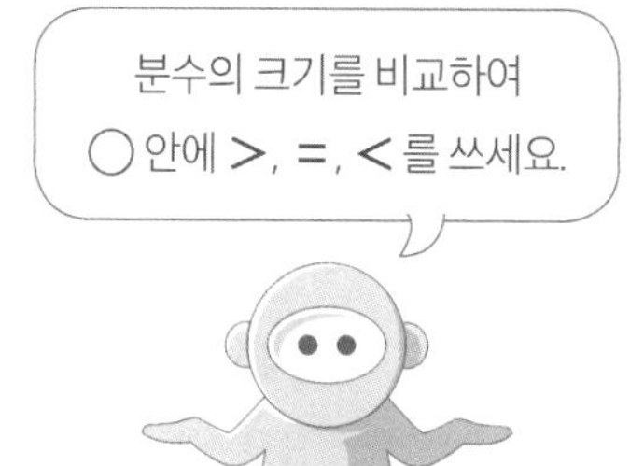

분수의 크기를 비교하여
○ 안에 >, =, <를 쓰세요.

$\frac{4}{9} \bigcirc \frac{1}{2}$

$\frac{5}{9} \bigcirc \frac{1}{2}$

$\frac{3}{4} \bigcirc \frac{1}{2}$

$\frac{1}{2} \bigcirc \frac{2}{4}$

$\frac{1}{4} \bigcirc \frac{1}{2}$

$\frac{1}{3} \bigcirc \frac{1}{2} \bigcirc \frac{2}{3}$

$\frac{5}{7} \bigcirc \frac{1}{2} \bigcirc \frac{3}{7}$

$\frac{3}{9} \bigcirc \frac{4}{9} \bigcirc \frac{1}{2}$

$\frac{8}{11} \bigcirc \frac{6}{11} \bigcirc \frac{1}{2}$

$\frac{3}{7} \bigcirc \frac{1}{2} \bigcirc \frac{5}{10}$

$\frac{2}{4} \bigcirc \frac{1}{2} \bigcirc \frac{5}{7}$

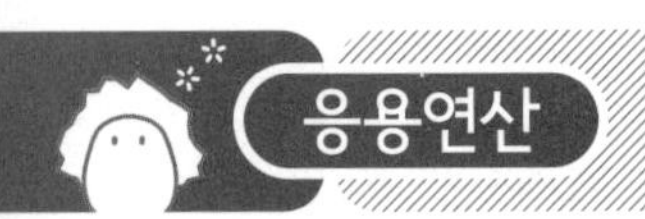

1 ▭ 안의 분수를 □ 안에 알맞게 쓰세요.

$\frac{5}{10}$	$\frac{3}{10}$	$\frac{6}{10}$

$\square < \frac{1}{2}$　　$\square = \frac{1}{2}$　　$\square > \frac{1}{2}$

2 다음은 $\frac{1}{2}$을 이용하여 두 분수의 크기를 비교한 것입니다. ◯ 안에 >, =, < 를 쓰세요.

$\frac{2}{3} \bigcirc\!\!\!\!> \frac{1}{2}$, $\frac{4}{9} \bigcirc\!\!\!\!< \frac{1}{2}$ ➡ $\frac{2}{3} \bigcirc\!\!\!\!> \frac{4}{9}$

$\frac{2}{3}$는 $\frac{1}{2}$보다 크고 $\frac{4}{9}$는 $\frac{1}{2}$보다 작으므로 $\frac{2}{3}$는 $\frac{4}{9}$보다 큽니다.

$\frac{6}{9} \bigcirc \frac{1}{2}$, $\frac{3}{7} \bigcirc \frac{1}{2}$ ➡ $\frac{6}{9} \bigcirc \frac{3}{7}$

$\frac{5}{11} \bigcirc \frac{1}{2}$, $\frac{3}{5} \bigcirc \frac{1}{2}$ ➡ $\frac{5}{11} \bigcirc \frac{3}{5}$

$\frac{8}{15} \bigcirc \frac{1}{2}$, $\frac{5}{11} \bigcirc \frac{1}{2}$ ➡ $\frac{8}{15} \bigcirc \frac{5}{11}$

$\frac{6}{13} \bigcirc \frac{1}{2}$, $\frac{5}{10} \bigcirc \frac{1}{2}$ ➡ $\frac{6}{13} \bigcirc \frac{5}{10}$

3 $\frac{1}{2}$과 크기가 같은 분수입니다. □ 안에 알맞은 수를 쓰세요.

$$\frac{1}{2}=\frac{2}{\square}=\frac{\square}{6}=\frac{4}{\square}=\frac{\square}{10}=\frac{6}{\square}=\frac{\square}{14}$$

4 분자가 **5**보다 작으면서 $\frac{1}{2}$보다 큰 분수를 모두 쓰세요.

____

5 은진이는 피자를 **9**조각으로 나눈 후 **4**조각을 먹었습니다. 남은 피자는 절반보다 더 많을까요, 적을까요? 남은 피자를 분수로 나타내고 알맞은 말에 ○표 하세요.

남은 피자: □, 절반보다 더 (많이 , 적게) 남았습니다.

크기가 같은 분수를 이용한 크기 비교

개념원리

크기가 같은 분수로 바꾸어 분수의 크기를 비교하여 봅시다.

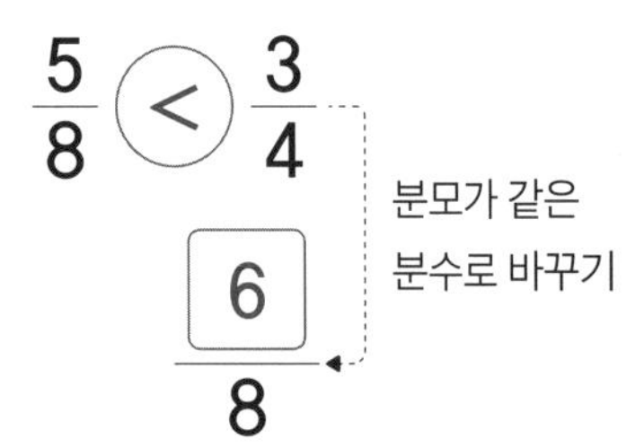

$\frac{6}{7} > \frac{3}{5}$

분자가 같은 분수로 바꾸기

$\frac{6}{10}$

분모 또는 분자가 같은 분수로 바꾸어 크기를 비교할 수 있습니다.

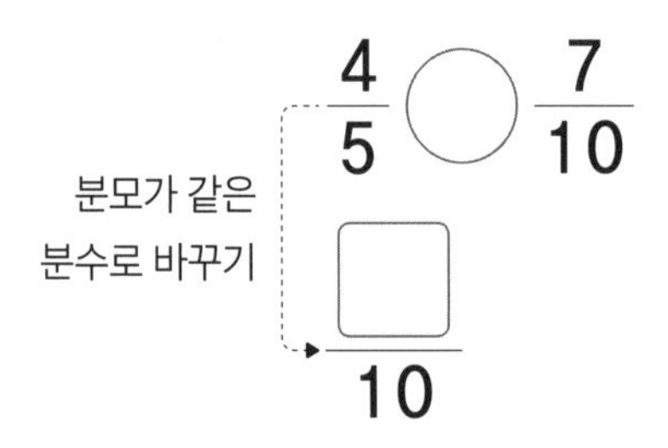

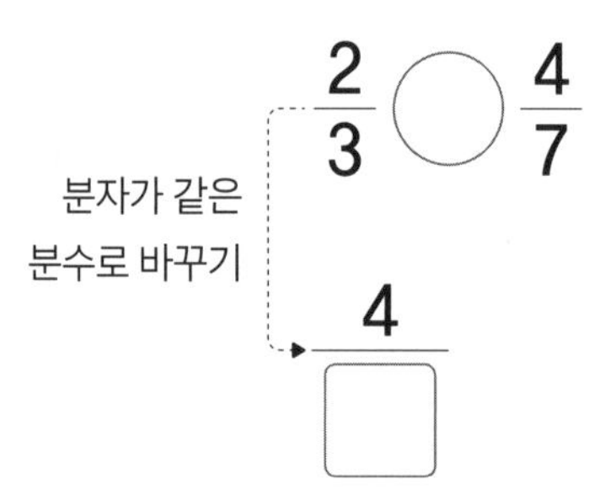

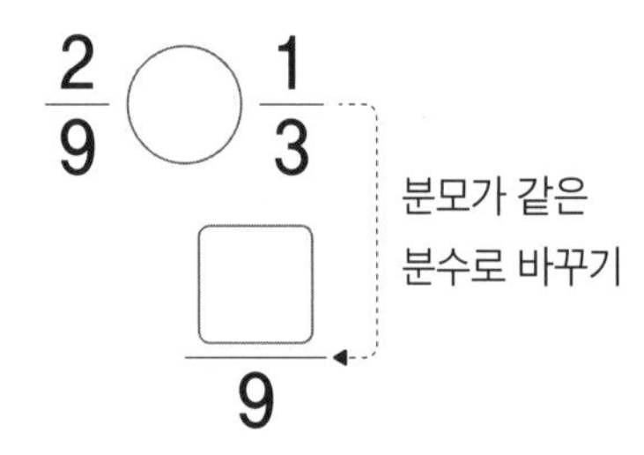

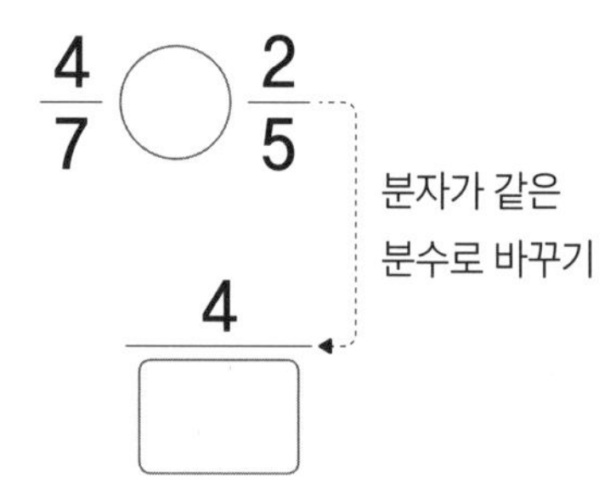

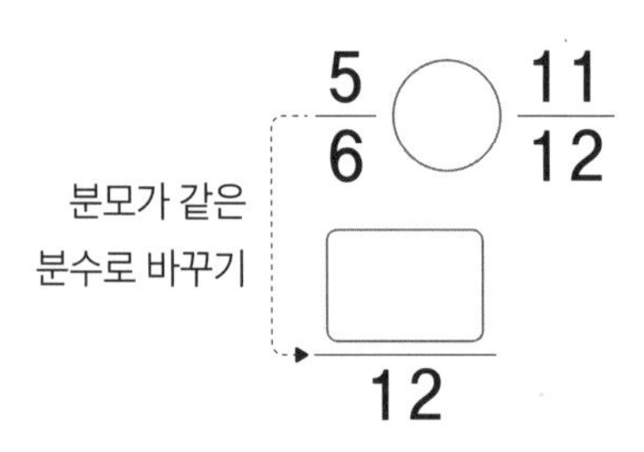

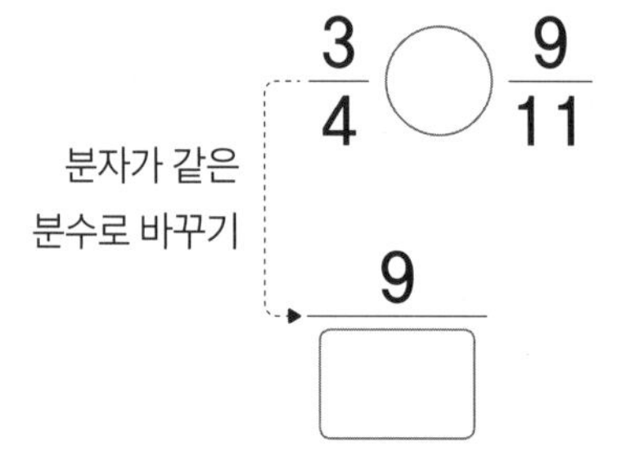

분모 또는 분자가 같은 분수로 바꾸고 ○ 안에 >, =, <를 쓰세요.

$\frac{3}{8} \bigcirc \frac{1}{4} = \frac{\square}{8}$

$\frac{2}{9} \bigcirc \frac{1}{5} = \frac{2}{\square}$

$\frac{\square}{12} = \frac{4}{6} \bigcirc \frac{9}{12}$

$\frac{2}{\square} = \frac{1}{3} \bigcirc \frac{2}{5}$

$\frac{3}{6} \bigcirc \frac{1}{3} = \frac{\square}{6}$

$\frac{2}{6} \bigcirc \frac{1}{4} = \frac{2}{\square}$

$\frac{5}{10} \bigcirc \frac{3}{5} = \frac{\square}{10}$

$\frac{6}{14} \bigcirc \frac{2}{4} = \frac{6}{\square}$

$\frac{3}{6} \bigcirc \frac{2}{3} = \frac{\square}{6}$

$\frac{10}{12} \bigcirc \frac{5}{7} = \frac{10}{\square}$

$\frac{3}{12} \bigcirc \frac{1}{6} = \frac{\square}{12}$

$\frac{10}{17} \bigcirc \frac{5}{8} = \frac{10}{\square}$

$\frac{6}{8} \bigcirc \frac{1}{2} = \frac{\square}{8}$

$\frac{6}{13} \bigcirc \frac{2}{5} = \frac{6}{\square}$

$\frac{10}{21} \bigcirc \frac{2}{7} = \frac{\square}{21}$

$\frac{15}{22} \bigcirc \frac{3}{4} = \frac{15}{\square}$

1 같은 색의 줄끼리 이어진 분수의 크기를 비교하여 큰 쪽에 ◯표 하세요.

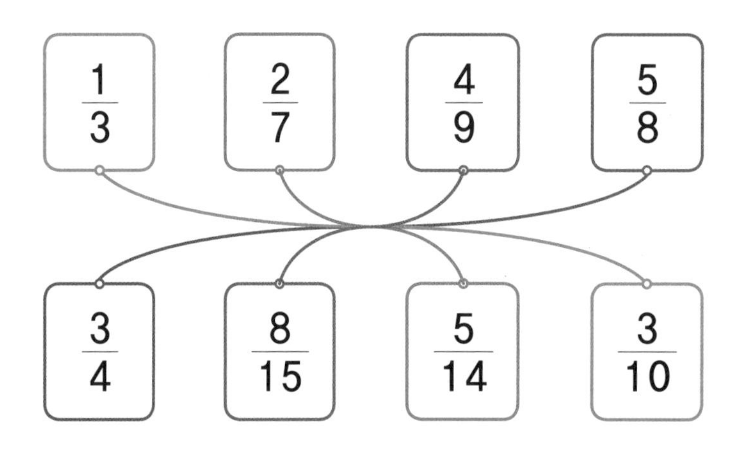

2 두 분수의 크기를 비교하여 더 큰 분수를 □ 안에 쓰세요.

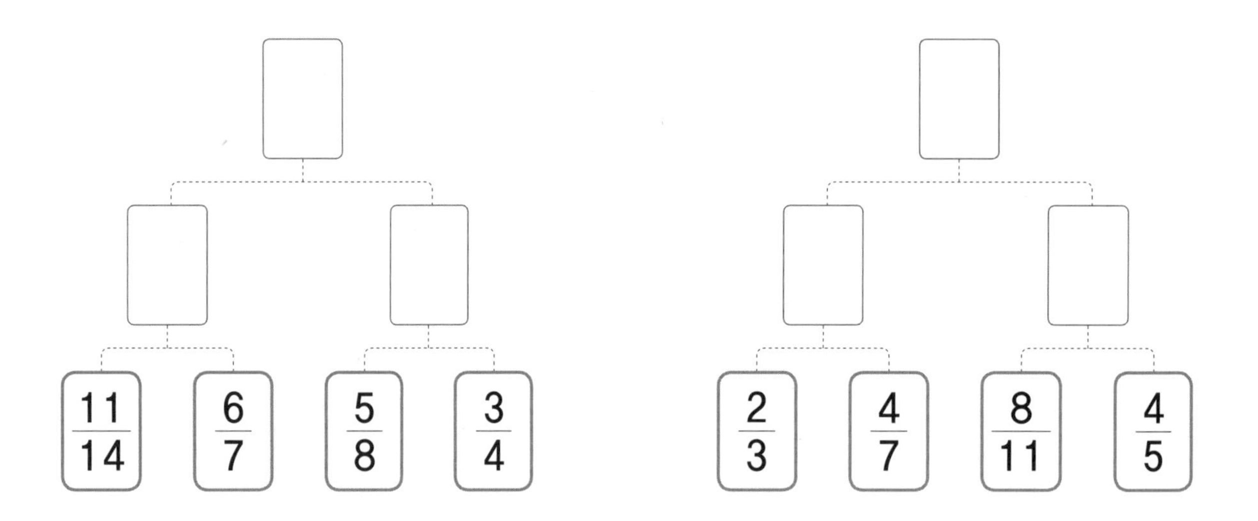

3 $\frac{2}{5}$보다 크고 $\frac{3}{4}$보다 작은 분수를 모두 찾아 ◯표 하세요.

$\frac{3}{10}$ $\frac{2}{6}$ $\frac{1}{2}$ $\frac{3}{5}$ $\frac{7}{8}$

4 분수의 크기를 잘못 비교한 사람은 누구일까요? [ ]

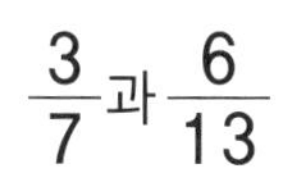
$\frac{3}{7}$과 $\frac{6}{13}$

$\frac{5}{11}$과 $\frac{7}{13}$

$\frac{4}{5}$과 $\frac{13}{15}$

$\frac{3}{7}$을 $\frac{6}{14}$으로 고쳐서 비교했어.
$\frac{6}{14} > \frac{6}{13}$이니까
$\frac{3}{7}$보다 $\frac{6}{13}$이 더 작아.

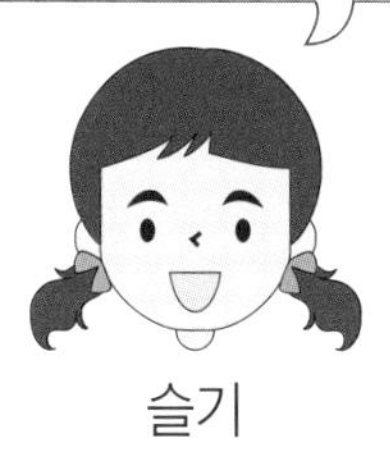
슬기

$\frac{5}{11}$는 $\frac{1}{2}$보다 작고
$\frac{7}{13}$은 $\frac{1}{2}$보다 크니까
$\frac{5}{11}$보다 $\frac{7}{13}$이 더 커.

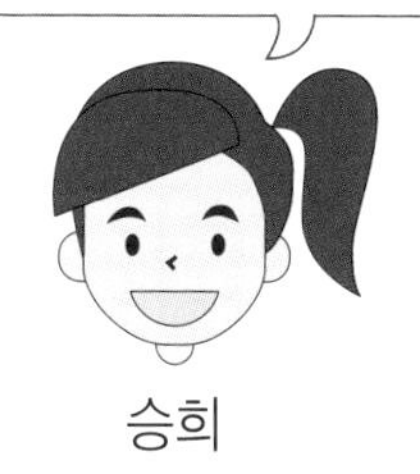
승희

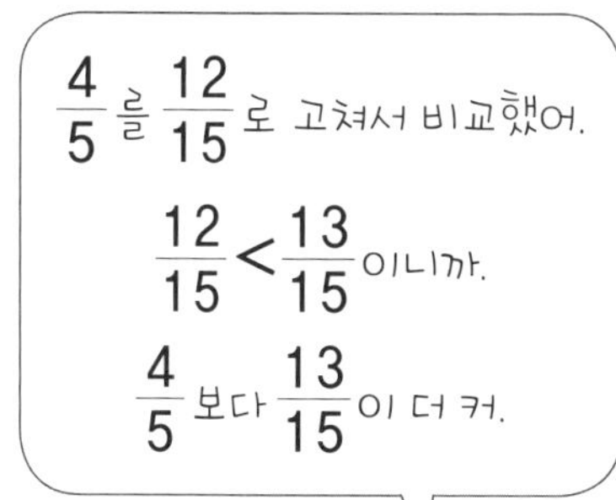
$\frac{4}{5}$를 $\frac{12}{15}$로 고쳐서 비교했어.
$\frac{12}{15} < \frac{13}{15}$이니까.
$\frac{4}{5}$보다 $\frac{13}{15}$이 더 커.

정호

5 케이크를 누가 가장 많이 먹었을까요? [ ]

케이크를 똑같이 **9**조각으로 나눈 후 그중 **5**조각을 먹었어.

수영

케이크를 똑같이 **3**조각으로 나눈 후 그중 **2**조각을 먹었어.

준희

케이크를 똑같이 **4**조각으로 나눈 후 그중 **3**조각을 먹었어.

민주

조건과 분수 (1)

분수에 맞는 조건을 만들어 봅시다.

$\frac{4}{9}$

- 분모는 분자보다 ((큽니다), 작습니다).
- 분모와 분자의 합은 [13] 입니다.
- 분모와 분자의 차는 [5] 입니다.
- $\frac{1}{2}$보다 (큽니다 , 같습니다 , (작습니다)).

$\frac{2}{7}$

- 분모는 분자보다 (큽니다 , 작습니다).
- 분모는 5보다 (큽니다 , 작습니다).
- 분자는 3보다 (큽니다 , 작습니다).
- 분모에서 분자를 빼면 [ ] 입니다.

$\frac{5}{10}$

- 분모는 분자보다 (큽니다 , 작습니다).
- 분모와 분자의 합은 [ ] 입니다.
- 분모와 분자의 차는 [ ] 입니다.
- $\frac{1}{2}$보다 (큽니다 , 같습니다 , 작습니다).

분모가 5인 분수

$\frac{2}{5}$	$\frac{5}{9}$	$\frac{1}{5}$	$\frac{5}{6}$
$\frac{3}{4}$	$\frac{4}{5}$	$\frac{5}{8}$	$\frac{2}{6}$

분자가 4인 분수

$\frac{4}{8}$	$\frac{1}{4}$	$\frac{3}{7}$	$\frac{4}{9}$
$\frac{3}{5}$	$\frac{3}{4}$	$\frac{2}{4}$	$\frac{4}{5}$

분모와 분자의 합이 7인 분수

$\frac{3}{7}$	$\frac{7}{8}$	$\frac{1}{6}$	$\frac{3}{4}$
$\frac{2}{5}$	$\frac{7}{9}$	$\frac{1}{7}$	$\frac{3}{5}$

분모와 분자의 차가 6인 분수

$\frac{1}{6}$	$\frac{1}{7}$	$\frac{2}{4}$	$\frac{6}{9}$
$\frac{5}{6}$	$\frac{6}{7}$	$\frac{2}{8}$	$\frac{3}{9}$

분모가 분자보다 3 큰 분수

$\frac{5}{8}$	$\frac{3}{5}$	$\frac{2}{3}$	$\frac{1}{2}$
$\frac{3}{7}$	$\frac{1}{4}$	$\frac{3}{6}$	$\frac{1}{5}$

1 규칙에 따라 분수를 만들어 나갑니다. 빈칸에 알맞은 분수를 쓰세요.

$\frac{1}{2}$, $\frac{2}{4}$, $\frac{3}{6}$, $\frac{4}{8}$, ☐, $\frac{6}{12}$, ☐ ……

$\frac{1}{4}$, $\frac{3}{5}$, $\frac{5}{8}$, $\frac{7}{13}$, ☐, $\frac{11}{29}$, ☐ ……

2 다음 조건에 맞는 분수를 쓰세요.

- 분모가 분자보다 큽니다.
- 분모가 5입니다.
- 분모와 분자의 합이 7입니다.

☐

- 분모가 분자보다 큽니다.
- 분자가 3입니다.
- 분모와 분자의 차가 5입니다.

☐

- 분모가 분자보다 큽니다.
- 분모와 분자의 합은 10입니다.
- 분모와 분자의 차가 4입니다.

☐

- $\frac{1}{2}$과 크기가 같습니다.
- 분모는 12보다 작습니다.
- 분자는 4보다 큽니다.

☐

3 ▭ 안의 분수를 가로, 세로 조건에 맞게 하나씩 쓰세요.

분수 조건	분자가 3	분모가 6
분모와 분자의 합이 10		
분모와 분자의 차가 5		

$\frac{4}{6}$ $\frac{1}{6}$ $\frac{3}{7}$ $\frac{3}{8}$

분수 조건	$\frac{1}{2}$보다 크다	$\frac{1}{2}$보다 작다
분모와 분자의 합이 9		
분모와 분자의 차가 3		

$\frac{5}{8}$ $\frac{2}{7}$ $\frac{4}{5}$ $\frac{1}{4}$

4 수 카드 3, 9, 8, 5 가 한 장씩 있습니다. 그중에서 2장을 사용하여 분모가 8이고, 분자가 5보다 작은 분수를 만드세요.

5 수 카드 4장 중에서 2장을 사용하여 다음 조건에 맞는 분수를 만드세요.

4 2
7 9

- 분모가 분자보다 큽니다.
- 분모와 분자의 합이 12보다 작습니다.
- $\frac{1}{2}$보다 큽니다.

4일

268 조건과 분수 (2)

수 카드 중에서 2장을 사용하여 조건에 맞는 분수를 만들어 봅시다.

분모가 5인 분수

1 5 4

$\frac{1}{5}$ $\frac{4}{5}$

$\frac{1}{2}$보다 작은 분수

2 8 3

$\frac{2}{8}$ $\frac{3}{8}$

분자가 1인 분수

1 7 3

$\frac{1}{2}$과 같은 분수

2 4 8

분모가 9인 분수

2 9 6

$\frac{1}{2}$보다 크고 1보다 작은 분수

4 8 6

6 2 4 3

분자가 2인 분수: $\frac{2}{3}$, ☐, ☐

분모가 6인 분수: $\frac{2}{6}$, ☐, ☐

$\frac{1}{2}$ 과 크기가 같은 분수: $\frac{2}{4}$, ☐

3 4 6 8

분자가 3인 분수: ☐, ☐, ☐

분모가 8인 분수: ☐, ☐, ☐

$\frac{1}{2}$ 과 크기가 같은 분수: ☐, ☐

5 6 2 7

분자가 2인 분수: ☐, ☐, ☐

분모가 7인 분수: ☐, ☐, ☐

$\frac{1}{2}$ 보다 크기가 작은 분수: ☐, ☐, ☐

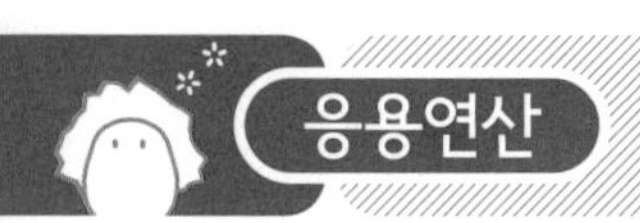

1 관계있는 것끼리 선으로 이으세요.

$\frac{2}{7}$	$\frac{3}{8}$	$\frac{5}{10}$
$\frac{1}{2}$	$\frac{1}{3}$	$\frac{1}{5}$
$\frac{3}{6}$	$\frac{1}{8}$	$\frac{4}{5}$

- 분자가 1입니다.
- 분모와 분자의 차가 5입니다.
- 분모와 분자의 합이 9입니다.

2 조건에 맞는 분수를 모두 찾아 ◯표 하세요.

분모와 분자의 합은 11입니다.
$\frac{1}{2}$보다 작습니다.

$\frac{1}{9}$ $\frac{1}{10}$ $\frac{2}{10}$ $\frac{2}{9}$

$\frac{3}{8}$ $\frac{4}{7}$ $\frac{5}{6}$ $\frac{4}{6}$ $\frac{5}{7}$

분모가 분자보다 큽니다.
분모와 분자의 차가 1이고,
분모는 5보다 작습니다.

$\frac{1}{2}$ $\frac{1}{3}$ $\frac{2}{3}$ $\frac{1}{4}$

$\frac{2}{4}$ $\frac{3}{4}$ $\frac{3}{5}$ $\frac{4}{5}$ $\frac{5}{6}$

3 조건에 맞는 분수를 모두 쓰세요.

- 분모가 분자보다 큽니다.
- 분모가 6입니다.

- 분모가 분자보다 큽니다.
- 분자가 3이고, 분모는 10보다 작습니다.

4 다음 조건에 맞는 분수는 모두 몇 개일까요?

- 분자는 1입니다.
- $\frac{1}{15}$보다 큰 분수입니다.
- 분모는 1보다 큽니다.

☐개

5 수 카드 4장 중에서 2장을 사용하여 다음 조건에 맞는 분수를 모두 만드세요.

3 5 7 8

- 분모가 분자보다 큽니다.
- 분모와 분자의 차가 4보다 작습니다.
- $\frac{1}{2}$보다 큽니다.

형성평가

1 분수의 크기를 비교하여 ◯ 안에 >, =, <를 쓰세요.

$\frac{8}{15}$ ◯ $\frac{1}{2}$ $\frac{1}{2}$ ◯ $\frac{5}{9}$ $\frac{5}{11}$ ◯ $\frac{1}{2}$

$\frac{5}{12}$ ◯ $\frac{1}{2}$ ◯ $\frac{7}{12}$ $\frac{4}{7}$ ◯ $\frac{1}{2}$ ◯ $\frac{3}{7}$

2 다음은 $\frac{1}{2}$을 이용하여 두 분수의 크기를 비교한 것입니다. ◯ 안에 >, =, <를 쓰세요.

[$\frac{3}{5}$ ◯ $\frac{1}{2}$, $\frac{5}{12}$ ◯ $\frac{1}{2}$] ➡ $\frac{5}{12}$ ◯ $\frac{3}{5}$

[$\frac{6}{14}$ ◯ $\frac{1}{2}$, $\frac{5}{9}$ ◯ $\frac{1}{2}$] ➡ $\frac{6}{14}$ ◯ $\frac{5}{9}$

3 분모 또는 분자가 같은 분수로 바꾸고 ◯ 안에 >, =, <를 쓰세요.

$\frac{5}{10}$ ◯ $\frac{2}{5}=\frac{\square}{10}$ $\frac{8}{15}$ ◯ $\frac{4}{7}=\frac{8}{\square}$ $\frac{5}{12}$ ◯ $\frac{1}{4}=\frac{\square}{12}$

$\frac{9}{17}$ ◯ $\frac{3}{5}=\frac{9}{\square}$ $\frac{5}{12}$ ◯ $\frac{1}{3}=\frac{\square}{12}$ $\frac{2}{9}$ ◯ $\frac{1}{6}=\frac{2}{\square}$

4 두 분수의 크기를 비교하여 더 큰 분수를 □ 안에 쓰세요.

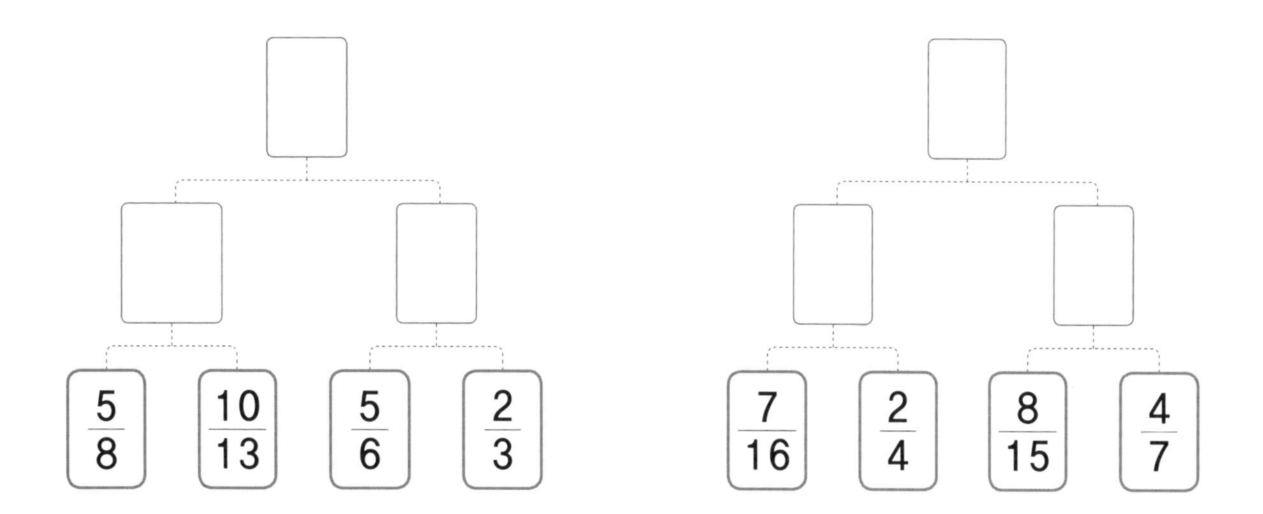

5 조건에 맞는 분수를 모두 찾아 ◯표 하세요.

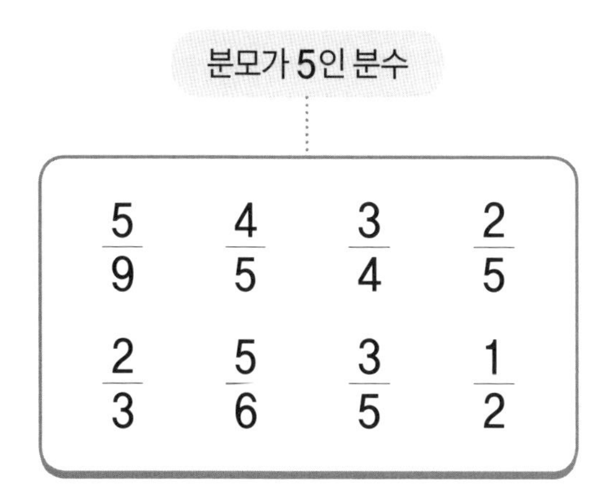

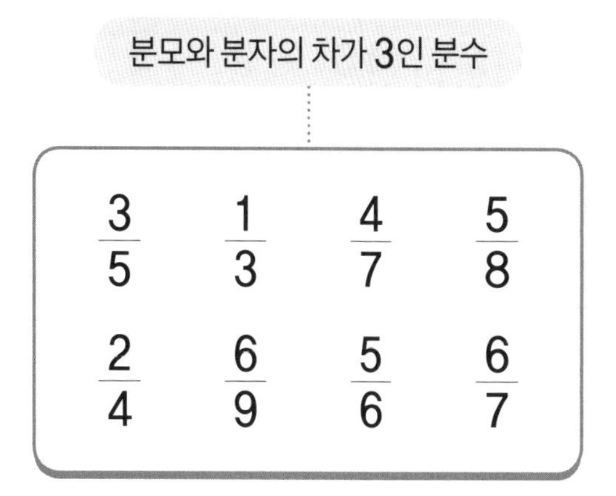

6 다음 조건에 맞는 분수를 쓰세요.

- $\frac{1}{3}$과 크기가 같습니다.
- 분모는 7보다 큽니다.
- 분자는 4보다 작습니다.

- 분모가 분자보다 큽니다.
- 분모와 분자의 합은 13입니다.
- 분모와 분자의 차는 3입니다.

7 조건에 맞는 분수를 모두 찾아 ○표 하세요.

분모가 분자보다 큽니다.
분모와 분자의 차가 2이고,
분모는 8보다 작습니다.

$\frac{1}{5}$ $\frac{8}{10}$ $\frac{7}{9}$ $\frac{2}{4}$

$\frac{1}{6}$ $\frac{3}{8}$ $\frac{5}{7}$ $\frac{2}{3}$ $\frac{3}{5}$

분모와 분자의 합은 13입니다.
$\frac{1}{2}$보다 작습니다.

$\frac{3}{12}$ $\frac{2}{11}$ $\frac{5}{10}$ $\frac{6}{11}$

$\frac{5}{8}$ $\frac{4}{9}$ $\frac{5}{6}$ $\frac{3}{10}$ $\frac{4}{7}$

8 수 카드 1, 2, 5, 7 가 한 장씩 있습니다. 그중에서 2장을 사용하여 분모가 분자보다 큰 분수를 모두 만드세요.

소수의 기초

소수 한 자리 수 알아보기

소수 알아보기 (1)

색칠한 부분을 분수와 소수로 나타내어 봅시다.

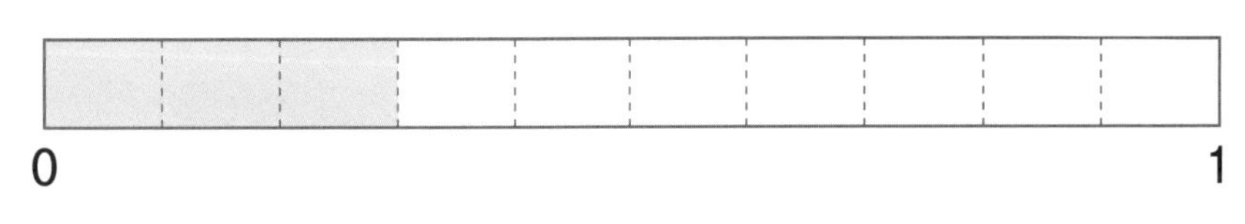

$\frac{3}{10}$ = 0.3

분수 소수

전체를 똑같이 10으로 나눈 것 중의 3은 $\frac{3}{10}$ 입니다.

분수 $\frac{3}{10}$ 을 0.3이라 쓰고 영점 삼이라고 읽습니다.

0.3에서 '.'을 소수점이라고 합니다.

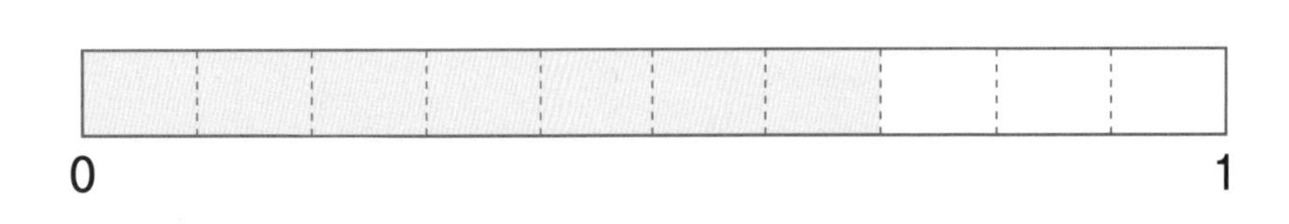

분수 소수

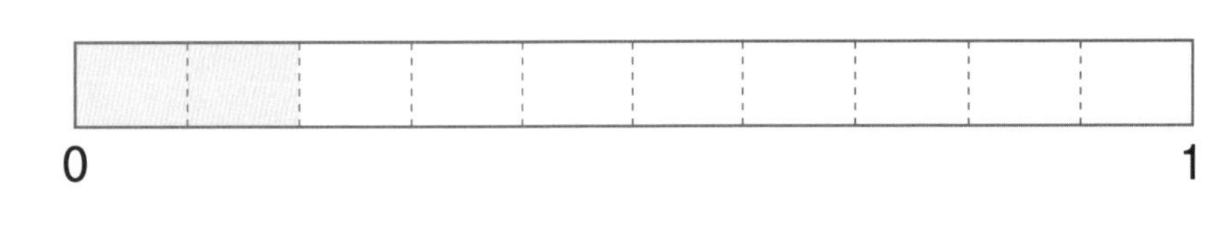

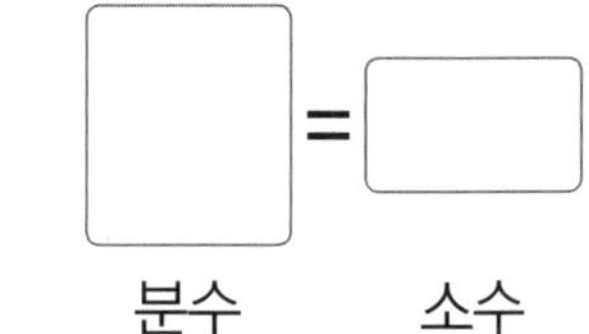

분수 소수

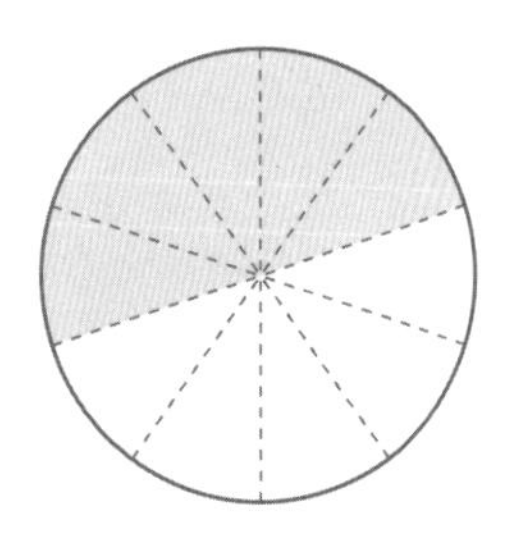

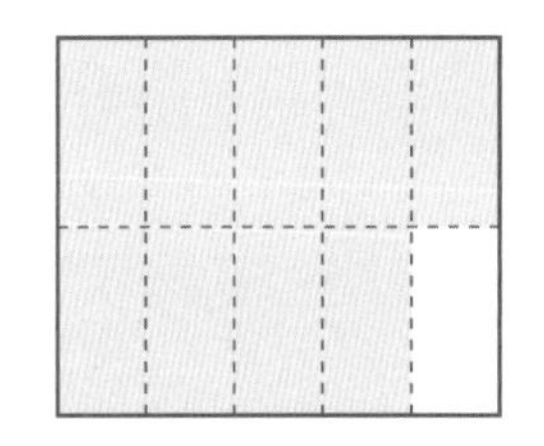

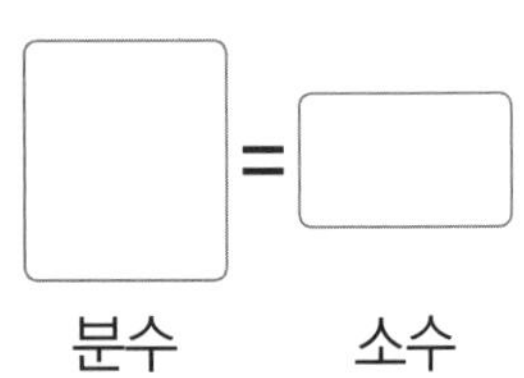

분수 소수

분수 소수

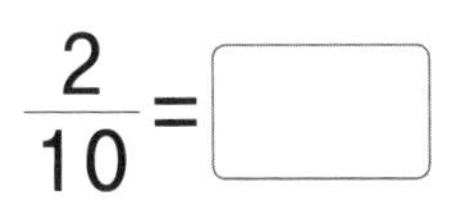

$\frac{2}{10}=\square$

$\frac{4}{10}=\square$

분수는 소수로,
소수는 분수로 나타내세요.

$0.6=\square$

$0.7=\square$

$\frac{1}{10}=\square$

$\frac{9}{10}=\square$

$\frac{5}{10}=\square$

$0.3=\square$

$0.2=\square$

$0.8=\square$

$\frac{8}{10}=\square$

$\frac{6}{10}=\square$

$\frac{3}{10}=\square$

$0.5=\square$

$0.1=\square$

$0.9=\square$

1 같은 것끼리 선으로 이으세요.

$\frac{3}{10}$	0.8	영점 오
$\frac{5}{10}$	0.3	영점 삼
$\frac{8}{10}$	0.5	영점 팔

$\frac{2}{10}$	0.9	영점 구
$\frac{6}{10}$	0.6	영점 이
$\frac{9}{10}$	0.2	영점 육

2 1을 똑같이 10으로 나누었을 때 — 부분을 분수와 소수로 나타내세요.

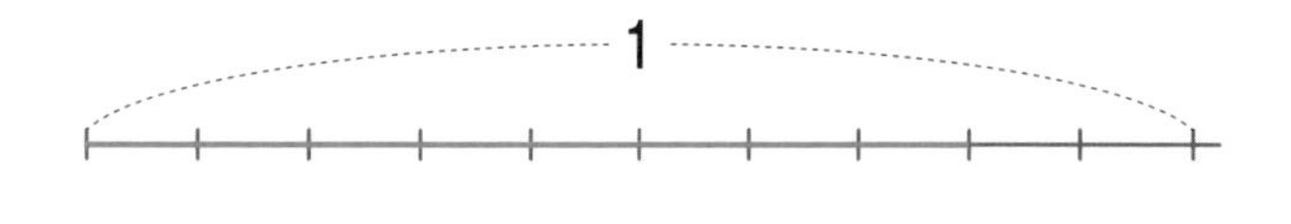

분수: ☐, 소수: ☐

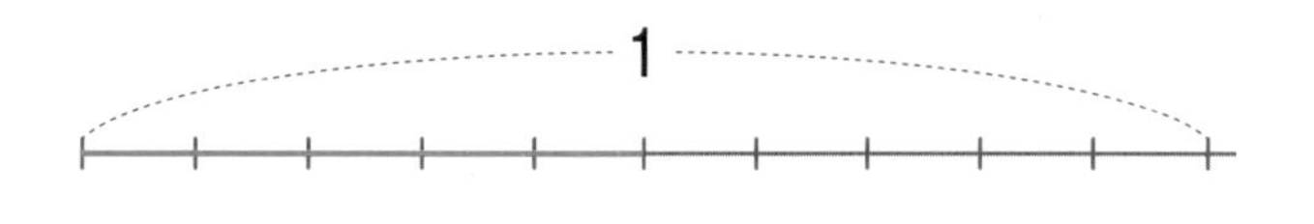

분수: ☐, 소수: ☐

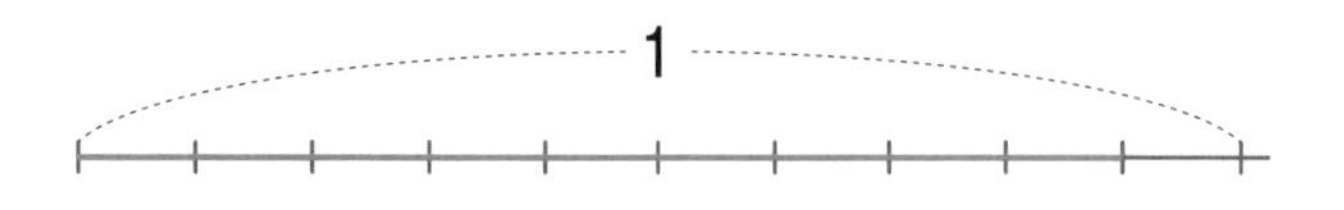

분수: ☐, 소수: ☐

3 □ 안에 알맞은 수를 쓰세요.

0.1이 2이면 □ 입니다.

0.1이 □ 이면 0.6입니다.

0.7은 0.1이 □ 입니다.

0.9는 □ 이 9입니다.

$\frac{1}{10}$이 □ 이면 0.8입니다.

$\frac{□}{□}$이 3이면 0.3입니다.

4 □ 안에 알맞은 수를 쓰세요.

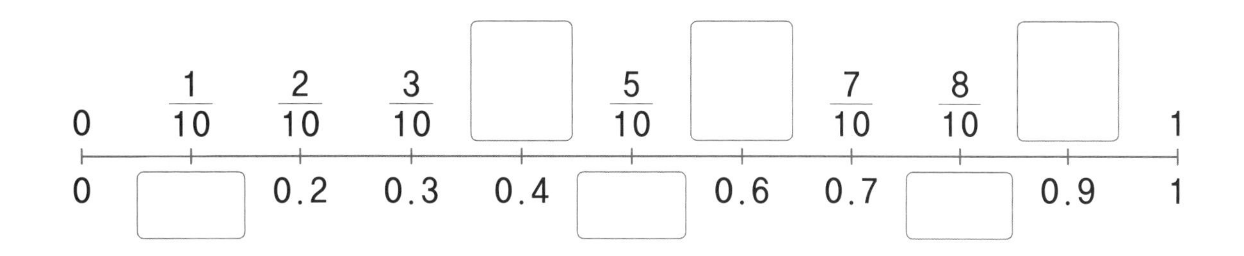

5 색 테이프 1 m를 똑같이 10조각으로 나누어 그중 정호가 3조각, 진희가 2조각을 사용했습니다. 정호와 진희가 사용한 색 테이프의 길이는 각각 몇 m인지 소수로 나타내세요.

정호: □ m, 진희: □ m

소수 알아보기 (2)

개념원리

1 보다 큰 소수를 알아봅시다.

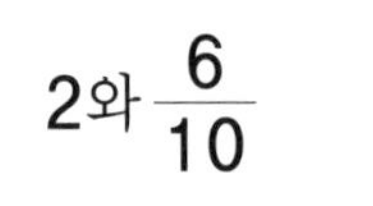

2와 $\frac{6}{10}$

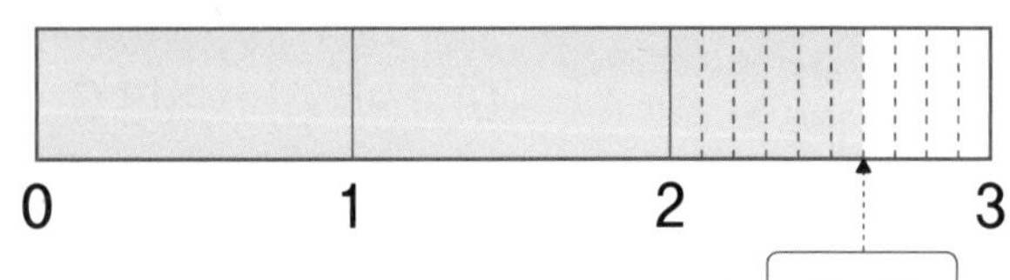

쓰기: 2.6

읽기: 이점 육

색칠한 부분은 2와 $\frac{6}{10}$입니다.

소수로 나타내면 2.6이라 쓰고,

이점 육이라고 읽습니다.

3과 $\frac{3}{10}$

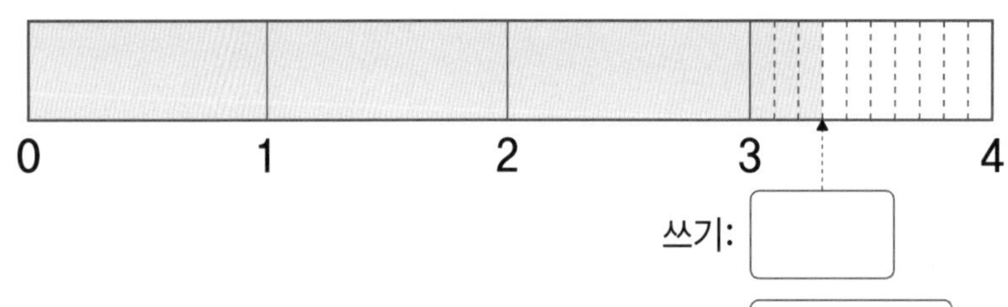

쓰기:

읽기:

4와 $\frac{9}{10}$

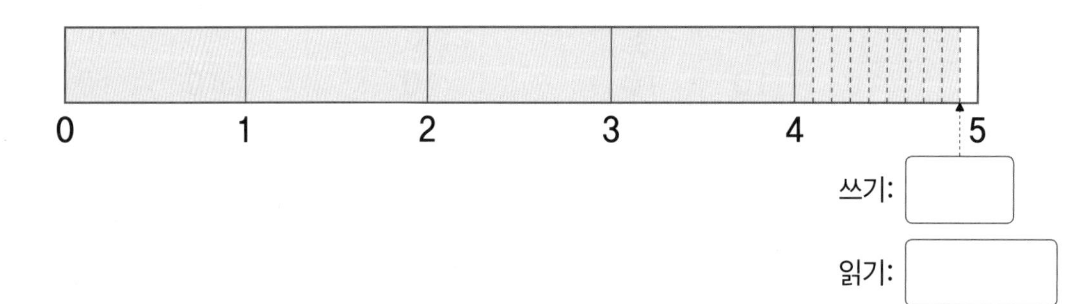

쓰기:

읽기:

3과 $\frac{5}{10}$

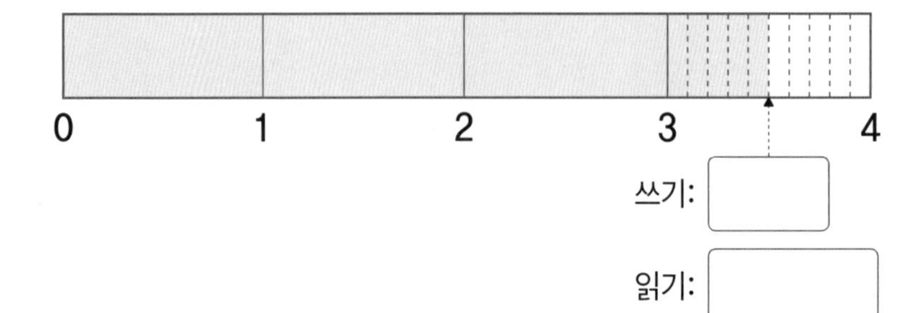

쓰기:

읽기:

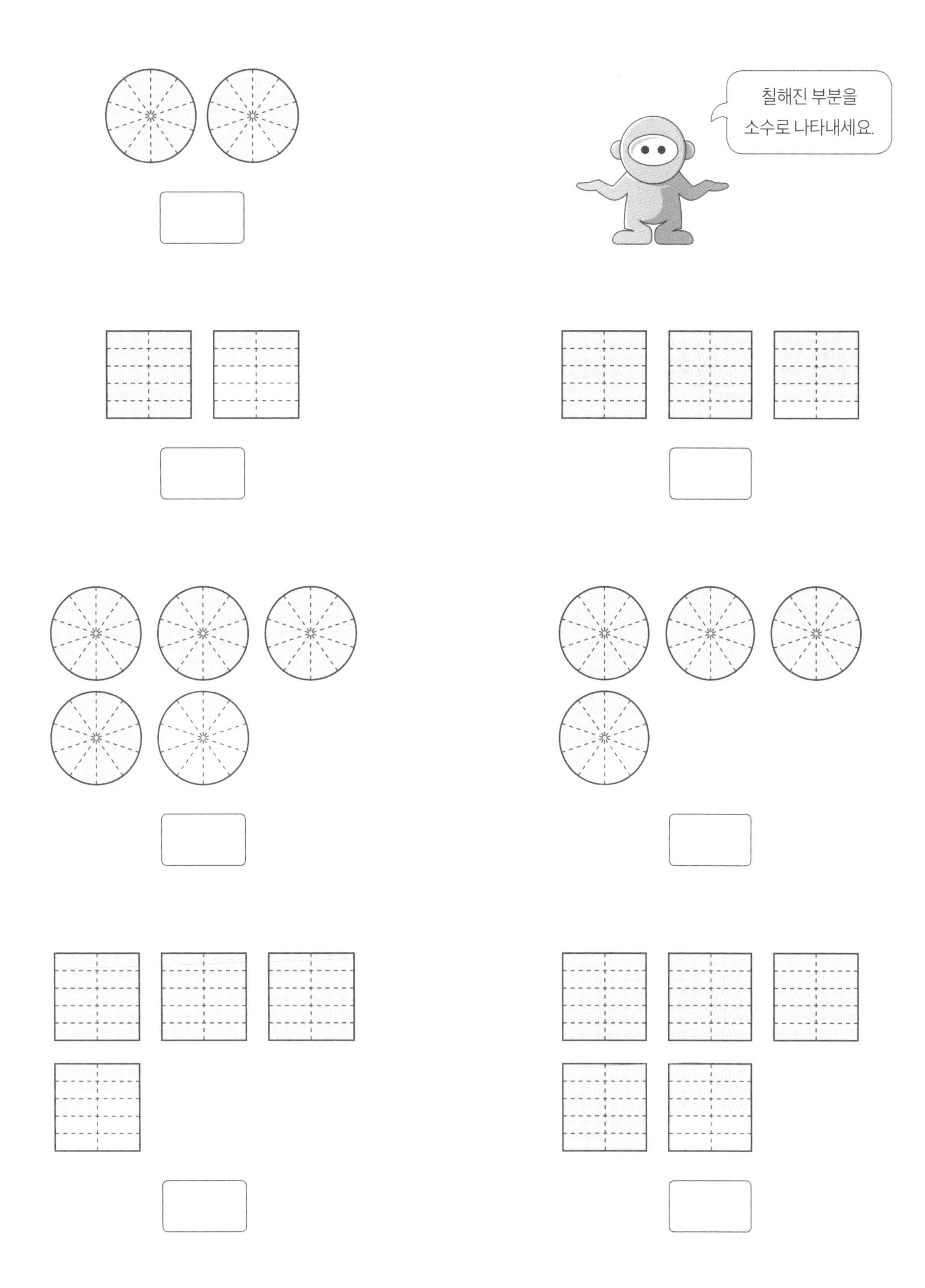
칠해진 부분을
소수로 나타내세요.

1 같은 것끼리 선으로 이으세요.

2와 $\frac{3}{10}$	2.3	이점 구
1과 $\frac{9}{10}$	2.9	일점 구
2와 $\frac{9}{10}$	1.9	이점 삼

2와 $\frac{5}{10}$	5.2	이점 오
5와 $\frac{5}{10}$	2.5	오점 이
5와 $\frac{2}{10}$	5.5	오점 오

2 길이에 맞게 빈칸에 알맞은 수를 쓰세요.

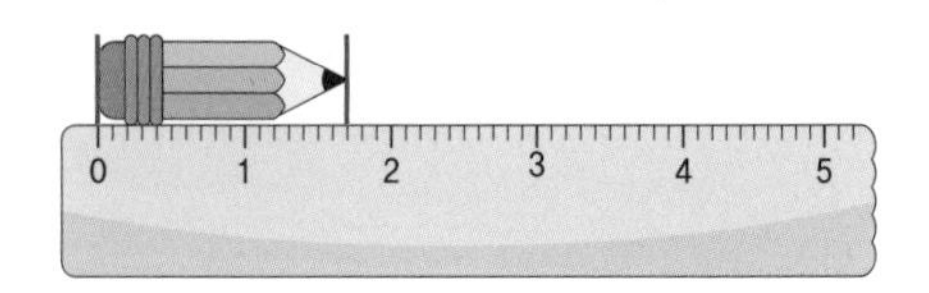

☐ cm ☐ mm = ☐ mm

= ☐ cm

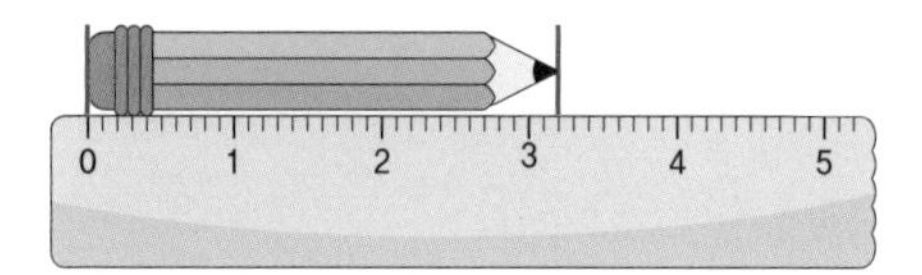

☐ cm ☐ mm = ☐ mm

= ☐ cm

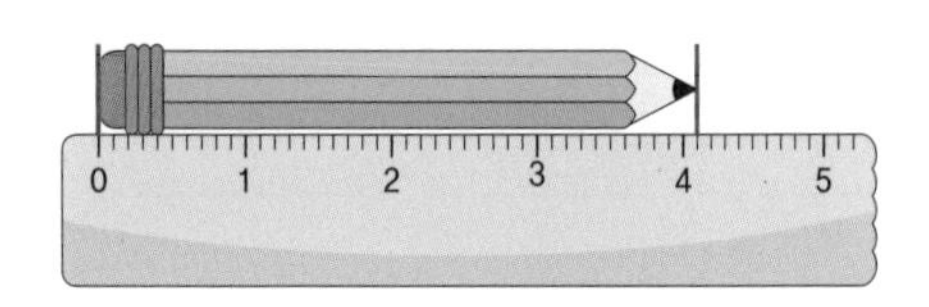

☐ cm ☐ mm = ☐ mm

= ☐ cm

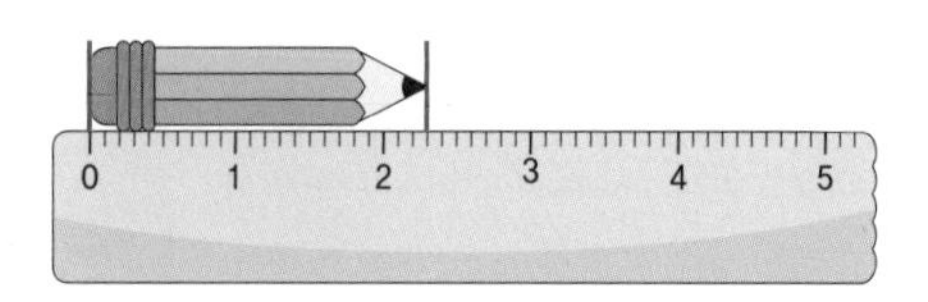

☐ cm ☐ mm = ☐ mm

= ☐ cm

3 □ 안에 알맞은 수를 쓰세요.

0.1이 45이면 □ 입니다.

0.1이 □ 이면 1.9입니다.

3.6은 0.1이 □ 입니다.

2.8은 □ 이 28입니다.

4 소수를 뛰어 세기한 것입니다. □ 안에 알맞은 수를 쓰세요.

0.5			0.8		1
1.8		2			2.3
3	3.2			3.8	4
5	5.5		6.5	7	

5 효진이가 가지고 있는 연필의 길이는 9 cm보다 0.7 cm 더 깁니다. 효진이가 가지고 있는 연필은 몇 cm일까요?

□ cm

소수의 크기 비교 (1)

소수만큼 색칠하고 소수의 크기를 비교해 봅시다.

2.7

0 1 2 3 4

3.1

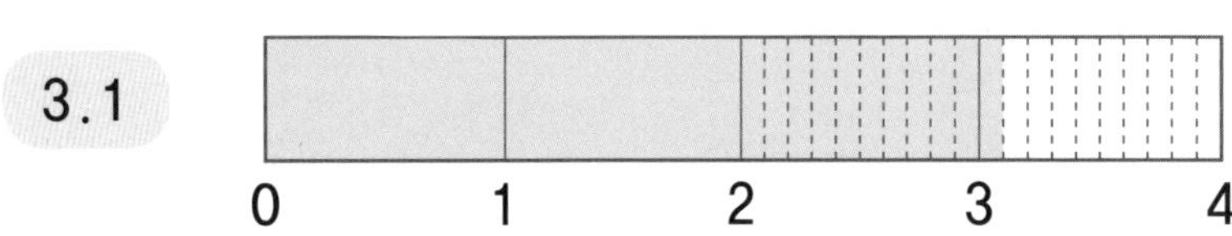

0 1 2 3 4

2.7 (<) 3.1

2.7은 0.1이 27, 3.1은 0.1이 31이므로 2.7보다 3.1이 더 큽니다.
소수의 크기를 비교할 때에는 소수점 왼쪽 수를 먼저 비교합니다.
소수점 왼쪽 수가 같으면 소수점 오른쪽 바로 옆의 수를 비교합니다.

3.6

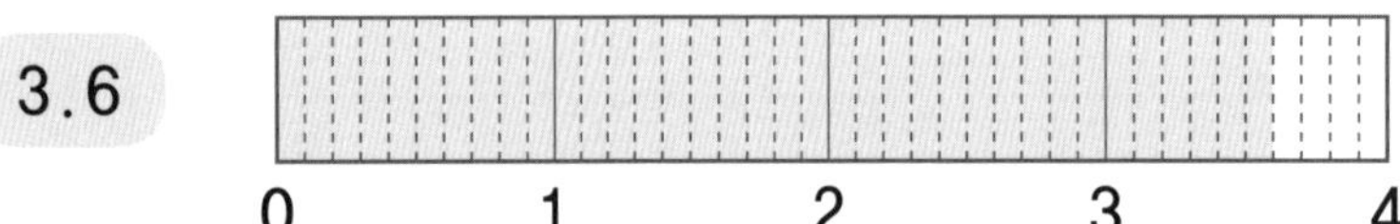

0 1 2 3 4

2.9

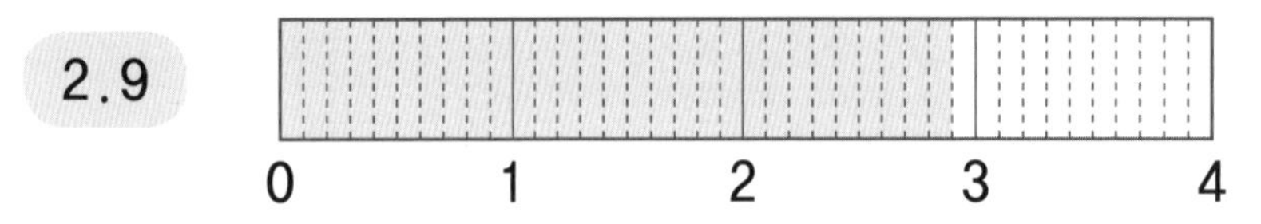

0 1 2 3 4

3.6 ◯ 2.9

3.8

0 1 2 3 4

3.2

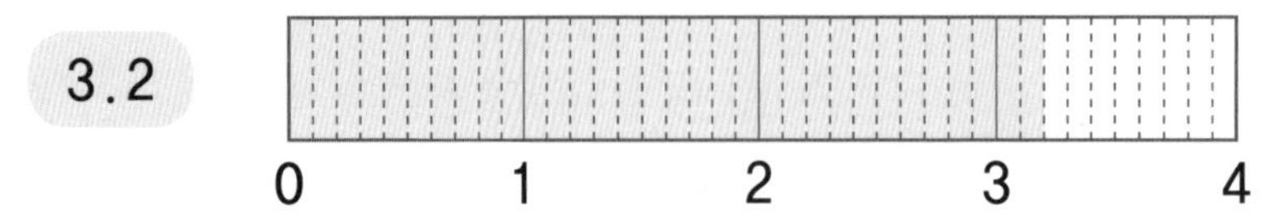

0 1 2 3 4

3.8 ◯ 3.2

0.7 ◯ 0.2　　0.8 ◯ 0.9　　0.5 ◯ 0.6

2.2 ◯ 2.6　　5.8 ◯ 5.3　　8.1 ◯ 8.9

3.4 ◯ 5.4　　8.2 ◯ 2.2　　4.8 ◯ 3.8

5.3 ◯ 3.5　　2.9 ◯ 3.1　　4.5 ◯ 8.2

0.2 ◯ 0.4 ◯ 0.9　　3.8 ◯ 3.5 ◯ 3.3

8.1 ◯ 6.1 ◯ 2.1　　0.1 ◯ 1.1 ◯ 8.1

3.5 ◯ 5.4 ◯ 6.2　　5.1 ◯ 3.8 ◯ 0.9

1 주어진 소수를 작은 것부터 차례대로 쓰세요.

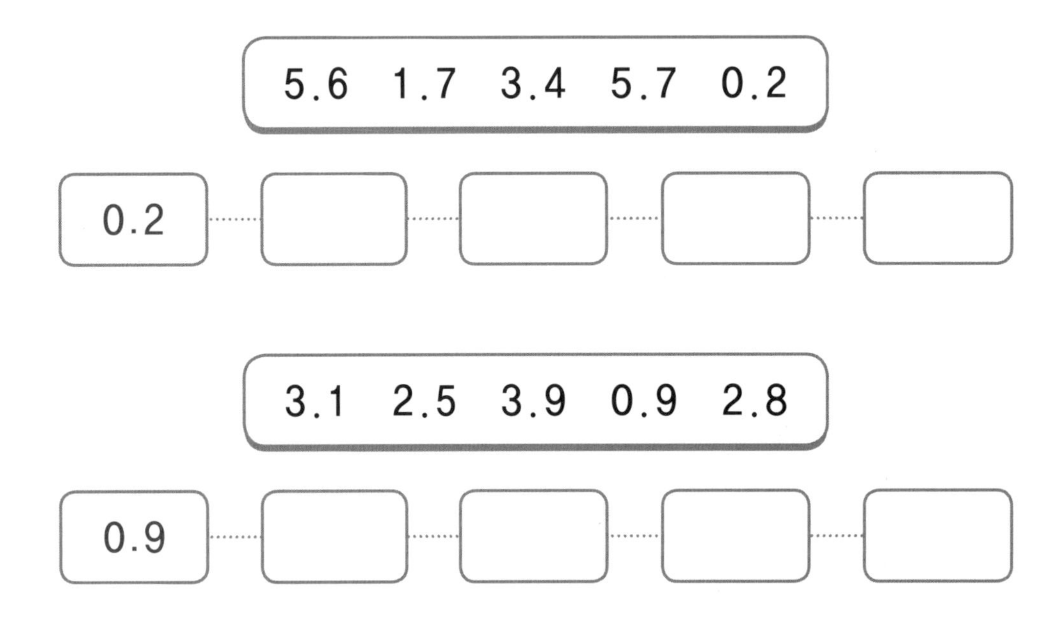

2 □ 안에 들어갈 수 있는 수를 모두 찾아 ○표 하세요.

$0.\square < 0.4$ …… 1 2 3 4 5 6 7 8 9

$5.6 < 5.\square$ …… 1 2 3 4 5 6 7 8 9

$0.1 < 0.\square < 0.5$ …… 1 2 3 4 5 6 7 8 9

$2.5 < \square.3 < 8.1$ …… 1 2 3 4 5 6 7 8 9

3 50 m 달리기에서 종민이의 기록은 9.5초이고, 민수의 기록은 8.9초입니다. 더 빨리 달린 사람은 누구일까요?

____

4 도형이의 생일에 친구들과 함께 케이크를 먹었습니다. 도형이는 케이크의 $\frac{2}{10}$ 만큼, 소형이는 0.3 만큼, 진호는 $\frac{1}{10}$ 만큼, 도준이는 나머지를 다 먹었습니다. 케이크를 가장 많이 먹은 사람과 가장 적게 먹은 사람은 각각 누구일까요?

가장 많이 먹은 사람: [ ]

가장 적게 먹은 사람: [ ]

5 승호네 반 친구들이 사용한 철사의 길이입니다. 철사를 많이 사용한 순서대로 이름을 쓰세요.

승호: 2.6 cm	재호: 18 mm	슬기: 2 cm 3 mm
민주: 9 mm	도희: 1 cm 7 mm	

[ ] - [ ] - [ ] - [ ] - [ ]

소수의 크기 비교 (2)

개념 원리

크기에 맞게 소수를 수직선에 나타내어 봅시다.

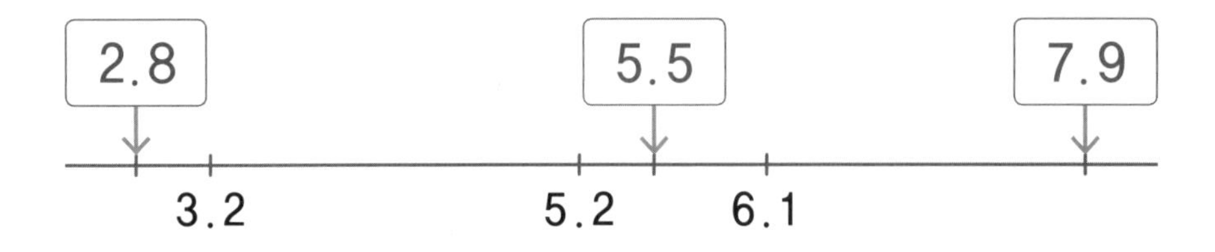

4.1　2.8　5.1　7.9　5.5　3.3

3.2보다 작은 소수는 2.8, 5.2와 6.1 사이의 소수는 5.5, 6.1보다 큰 소수는 7.9입니다.

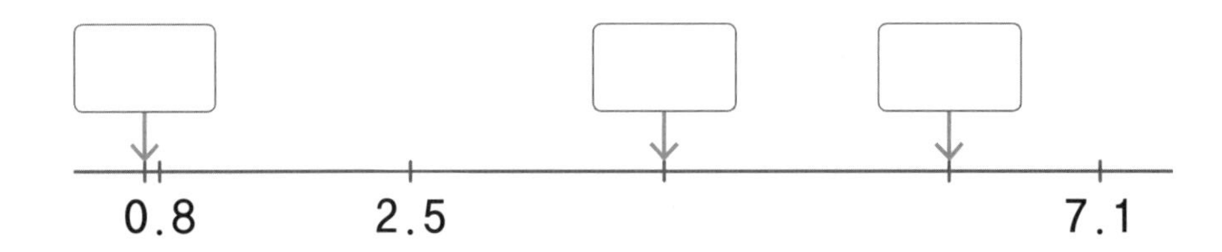

6.1　0.9　0.7　1.8　4.2　7.5

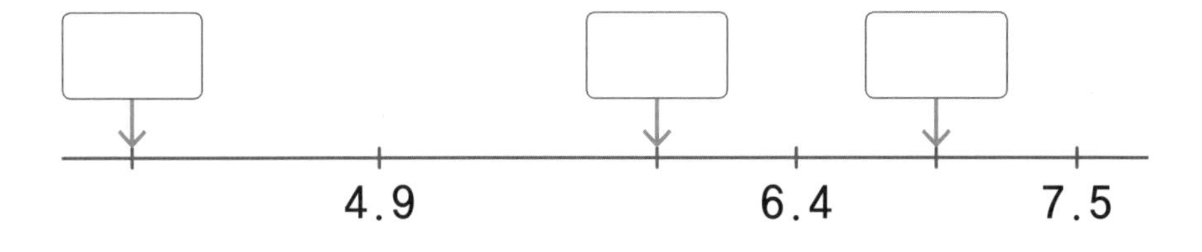

6.9　4.1　8.1　9.8　5.9　7.6

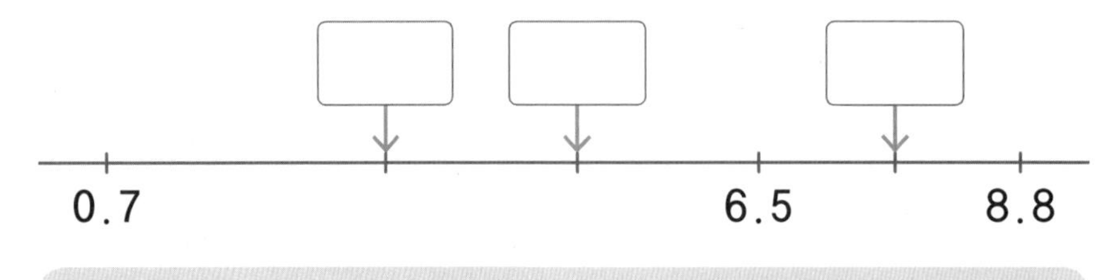

0.6　9.6　3.2　7.7　4.9　8.9

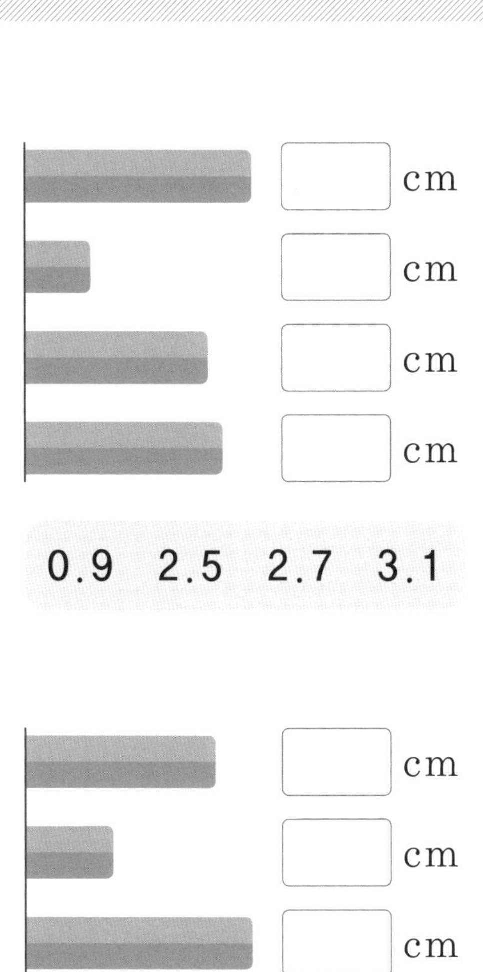

cm

cm

cm

cm

0.9 2.5 2.7 3.1

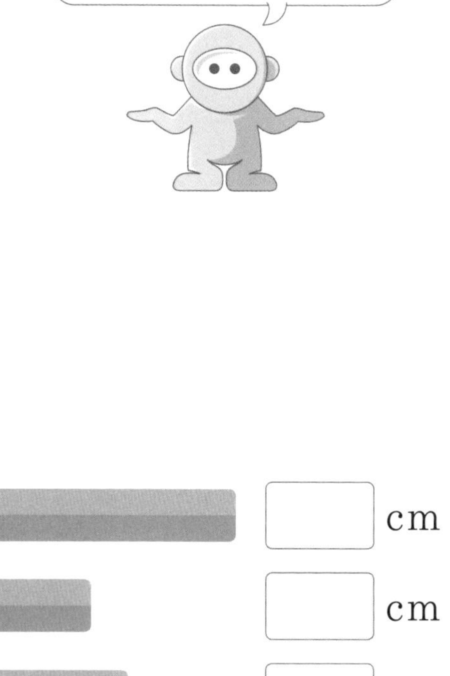

cm

cm

cm

cm

2.6 0.8 1.2 3.1

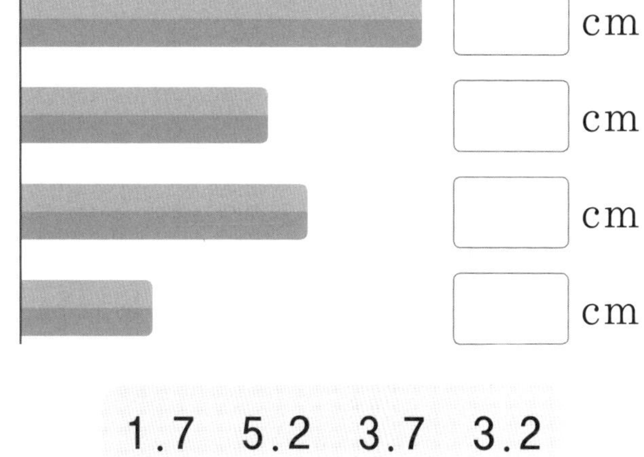

cm

cm

cm

cm

1.7 5.2 3.7 3.2

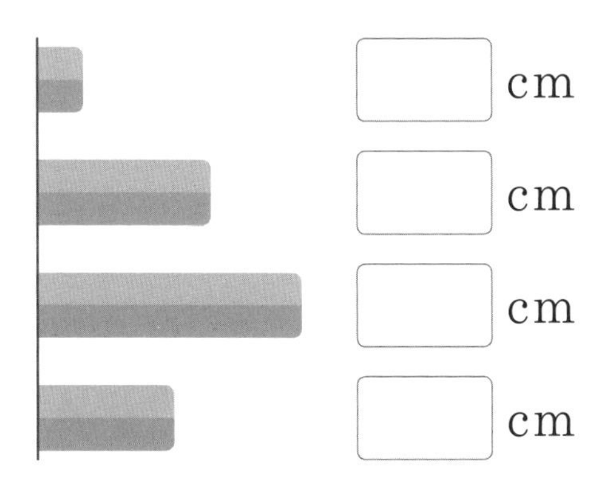

cm

cm

cm

cm

1.9 0.5 2.9 1.5

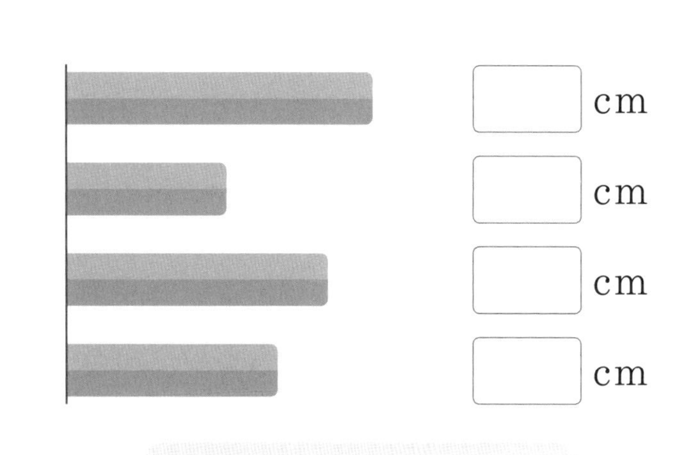

cm

cm

cm

cm

3.6 4.2 2.2 2.9

1 왼쪽 소수에 대한 설명이 맞으면 ◯표, 틀리면 ×표 하세요.

0.7

0.3과 0.9 사이의 수입니다.	( )
$\frac{6}{10}$보다 작은 수입니다.	( )
0.5보다 큰 수입니다.	( )

8.1

0.1과 1.9 사이의 수입니다.	( )
7과 $\frac{1}{10}$보다 작은 수입니다.	( )
7.9보다 큰 수입니다.	( )

2 수 카드 3장 중에서 2장을 사용하여 만든 소수 한 자리 수를 작은 것부터 차례대로 쓰세요.

카드						
2 8 1	1.2	1.8				
5 6 3						
4 9 7						

3 다음 조건에 맞는 소수를 모두 찾아 ○표 하세요.

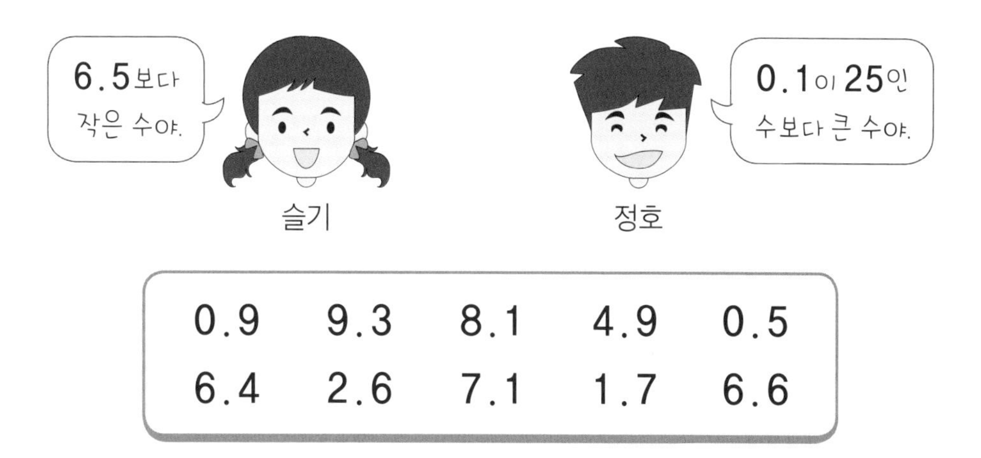
6.5보다 작은 수야.
슬기
0.1이 25인 수보다 큰 수야.
정호

0.9	9.3	8.1	4.9	0.5
6.4	2.6	7.1	1.7	6.6

4 다음 조건에 맞는 소수 한 자리 수를 모두 쓰세요.

- 0.1과 0.9 사이의 수입니다.
- $\frac{5}{10}$보다 큰 수입니다.
- 0.1이 8인 수보다 작은 수입니다.

- 0.1과 9.1 사이의 수입니다.
- 5와 $\frac{5}{10}$보다 큰 수입니다.
- 0.1이 59인 수보다 작은 수입니다.

5 다음 조건에 맞는 소수를 쓰세요.

- $\frac{9}{10}$보다 크고 4.1보다 작은 ■.▲입니다.
- ■와 ▲의 합은 5입니다.
- ■ > ▲입니다.

형성평가

1 분수는 소수로, 소수는 분수로 나타내세요.

$\frac{5}{10}=$ □ $\frac{2}{10}=$ □ $\frac{6}{10}=$ □

$0.9=$ □ $0.1=$ □ $0.4=$ □

2 □ 안에 알맞은 수를 쓰세요.

0.5는 □ 이 5입니다.

0.7은 0.1이 □ 입니다.

0.1이 4이면 □ 입니다.

0.1이 8이면 □ 입니다.

$\frac{1}{10}$이 □ 이면 0.9입니다.

$\frac{□}{□}$이 7이면 0.7입니다.

3 칠해진 부분을 소수로 나타내세요.

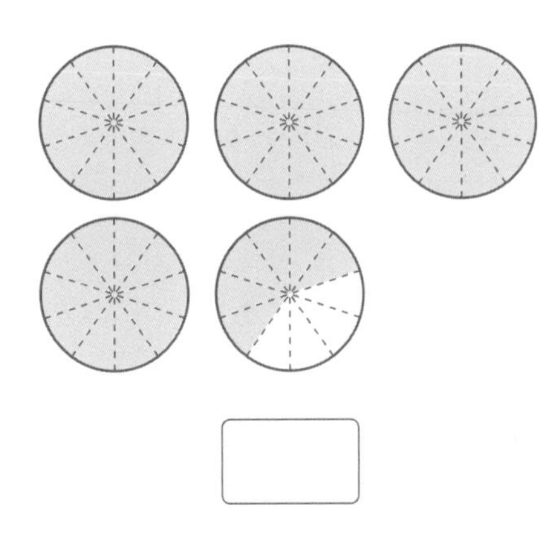

□

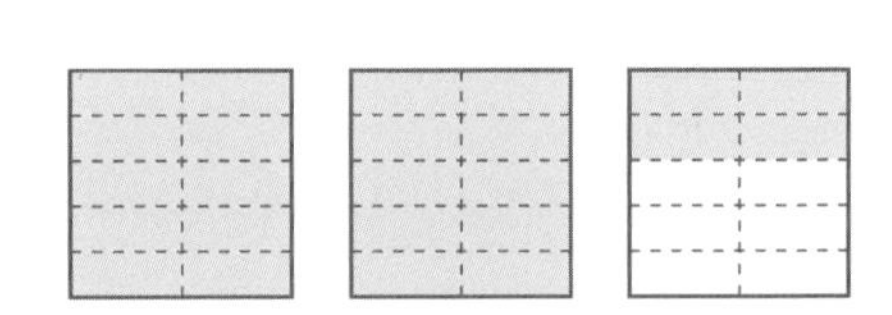

□

4 빨간색 색연필은 6 cm이고, 파란색 색연필은 빨간색 색연필보다 0.8 cm 짧습니다. 파란색 색연필은 몇 cm인지 소수로 나타내세요.

□ cm

5 소수의 크기를 비교하여 ◯ 안에 >, =, <를 쓰세요.

2.9 ◯ 3.1　　6.5 ◯ 4.3　　2.6 ◯ 1.8

2.6 ◯ 2.5 ◯ 2.2　　5.3 ◯ 4.5 ◯ 3.6

6 □ 안에 들어갈 수 있는 수를 모두 찾아 ◯표 하세요.

3.□ < 3.6	1 2 3 4 5 6 7 8 9
1.5 < 1.□	1 2 3 4 5 6 7 8 9
2.4 < 2.□ < 2.9	1 2 3 4 5 6 7 8 9
4.7 < □.4 < 9.1	1 2 3 4 5 6 7 8 9

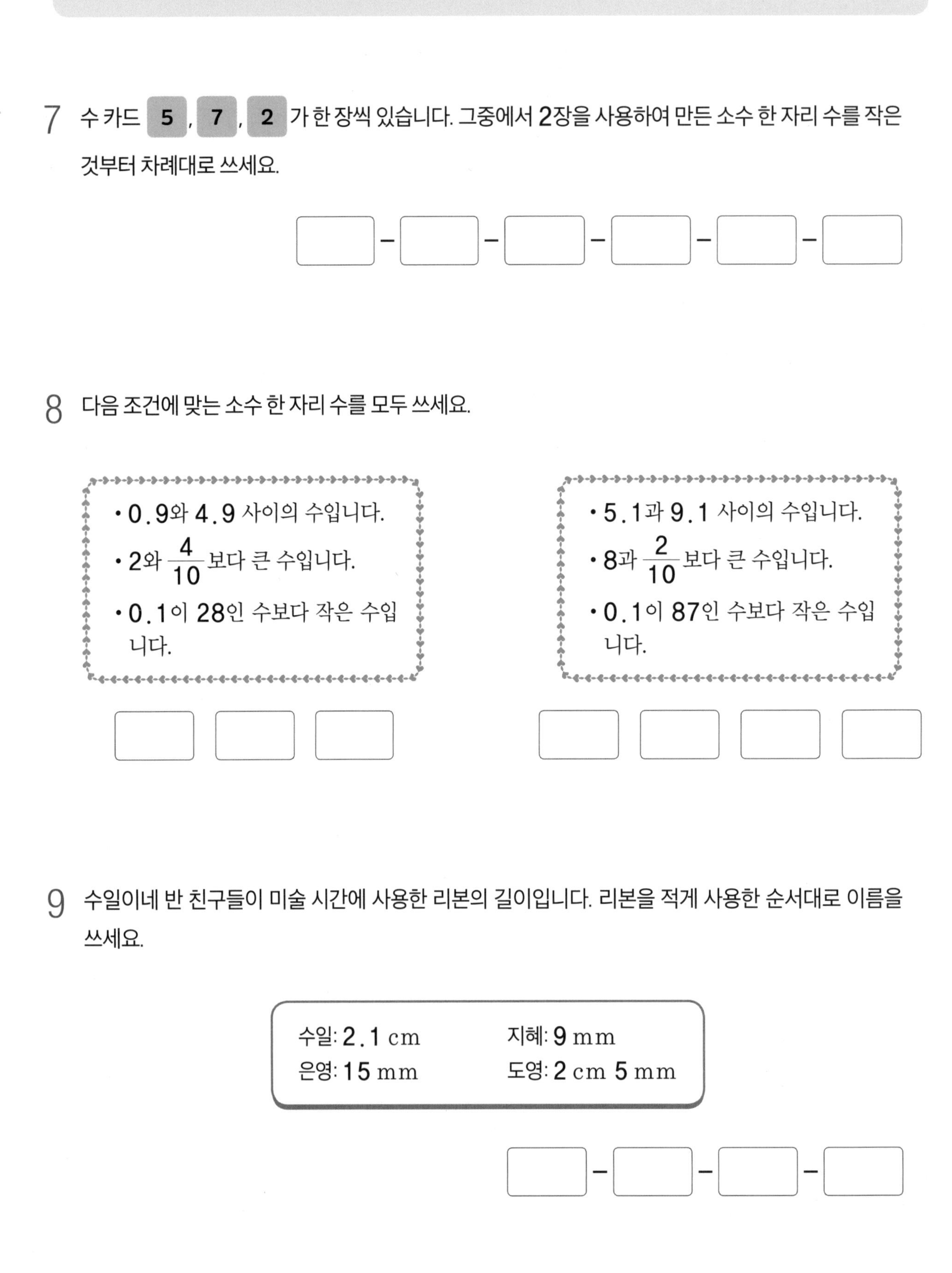

7 수 카드 5, 7, 2 가 한 장씩 있습니다. 그중에서 2장을 사용하여 만든 소수 한 자리 수를 작은 것부터 차례대로 쓰세요.

☐ − ☐ − ☐ − ☐ − ☐ − ☐

8 다음 조건에 맞는 소수 한 자리 수를 모두 쓰세요.

- 0.9와 4.9 사이의 수입니다.
- 2와 $\frac{4}{10}$보다 큰 수입니다.
- 0.1이 28인 수보다 작은 수입니다.

☐ ☐ ☐

- 5.1과 9.1 사이의 수입니다.
- 8과 $\frac{2}{10}$보다 큰 수입니다.
- 0.1이 87인 수보다 작은 수입니다.

☐ ☐ ☐ ☐

9 수일이네 반 친구들이 미술 시간에 사용한 리본의 길이입니다. 리본을 적게 사용한 순서대로 이름을 쓰세요.

수일: 2.1 cm 지혜: 9 mm
은영: 15 mm 도영: 2 cm 5 mm

☐ − ☐ − ☐ − ☐

상위권으로 가는 문제 해결 연산 학습지

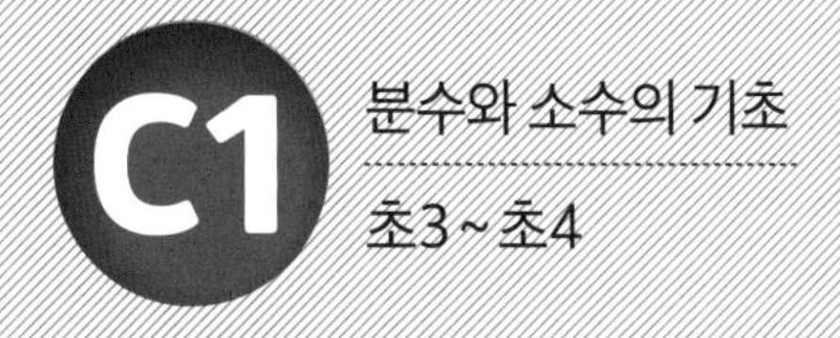

정답 및 길잡이

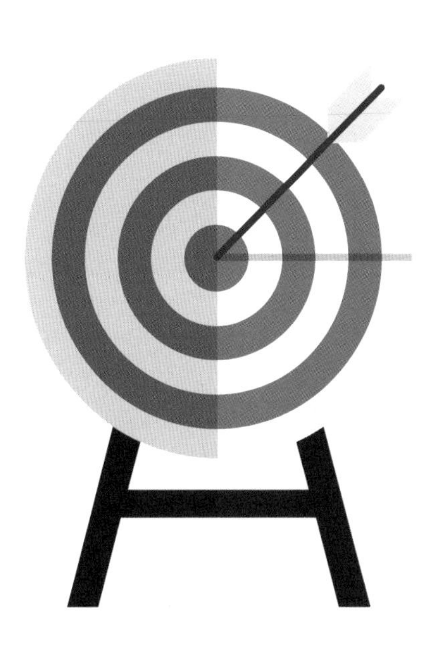

분수의 기초

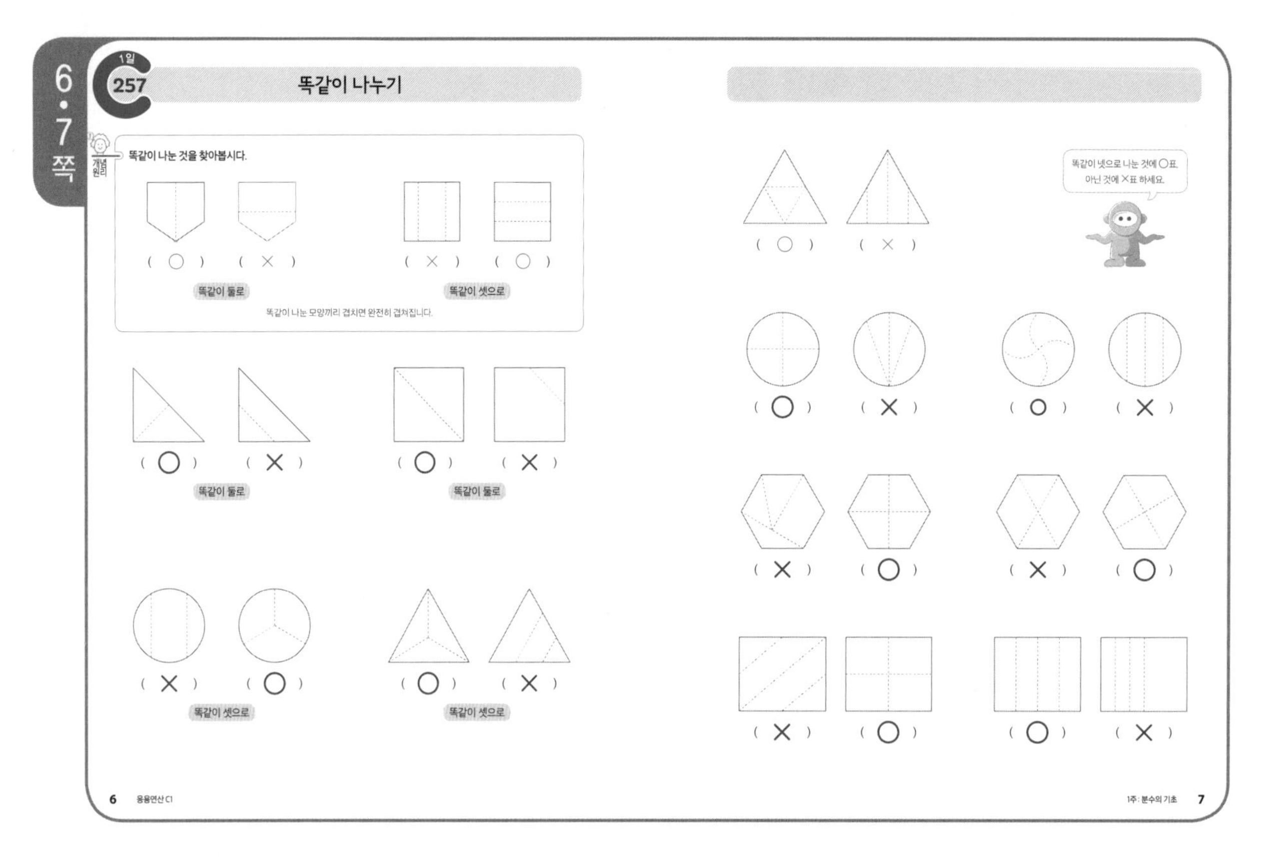
6·7쪽
257
똑같이 나누기
똑같이 나눈 것을 찾아봅시다.
똑같이 둘로
똑같이 셋으로
똑같이 나눈 모양끼리 겹치면 완전히 겹쳐집니다.
똑같이 넷으로 나눈 것에 ○표, 아닌 것에 ×표 하세요.

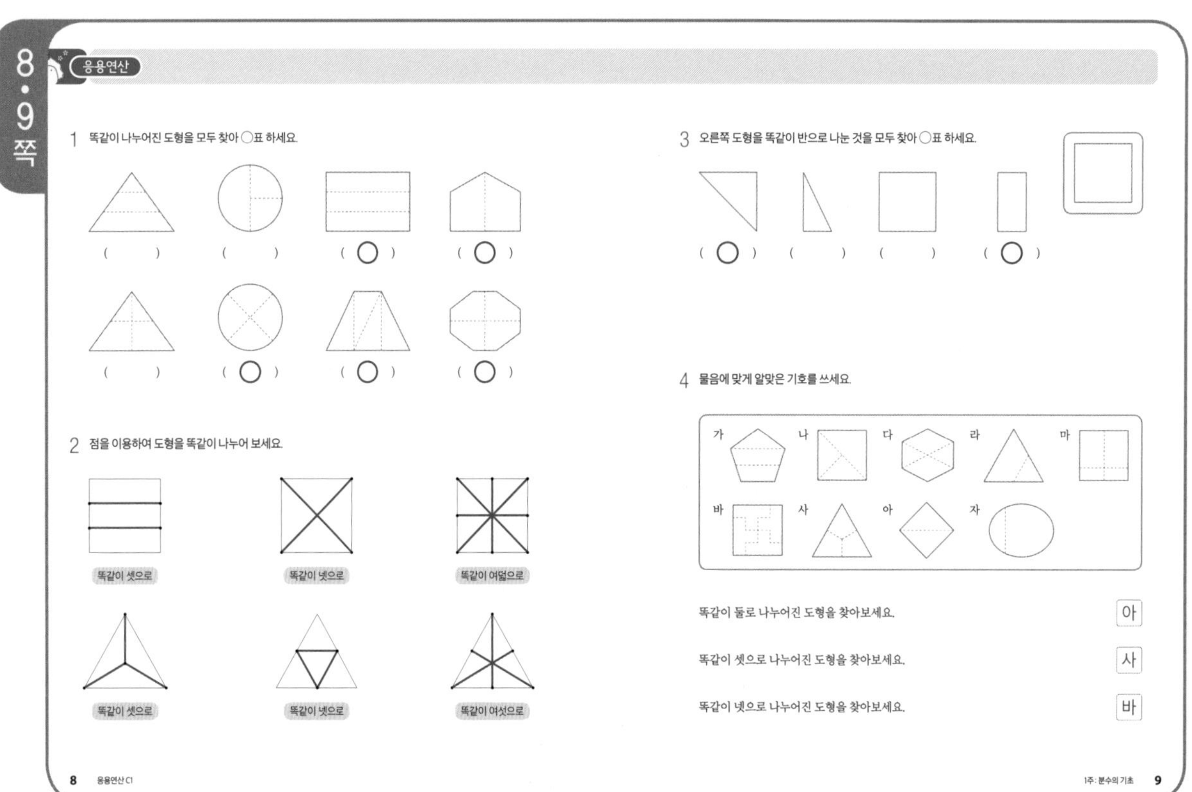
8·9쪽
응용연산
1 똑같이 나누어진 도형을 모두 찾아 ○표 하세요.
2 점을 이용하여 도형을 똑같이 나누어 보세요.
똑같이 셋으로
똑같이 넷으로
똑같이 여덟으로
똑같이 여섯으로
3 오른쪽 도형을 똑같이 반으로 나눈 것을 모두 찾아 ○표 하세요.
4 물음에 맞게 알맞은 기호를 쓰세요.
똑같이 둘로 나누어진 도형을 찾아보세요. 아
똑같이 셋으로 나누어진 도형을 찾아보세요. 사
똑같이 넷으로 나누어진 도형을 찾아보세요. 바

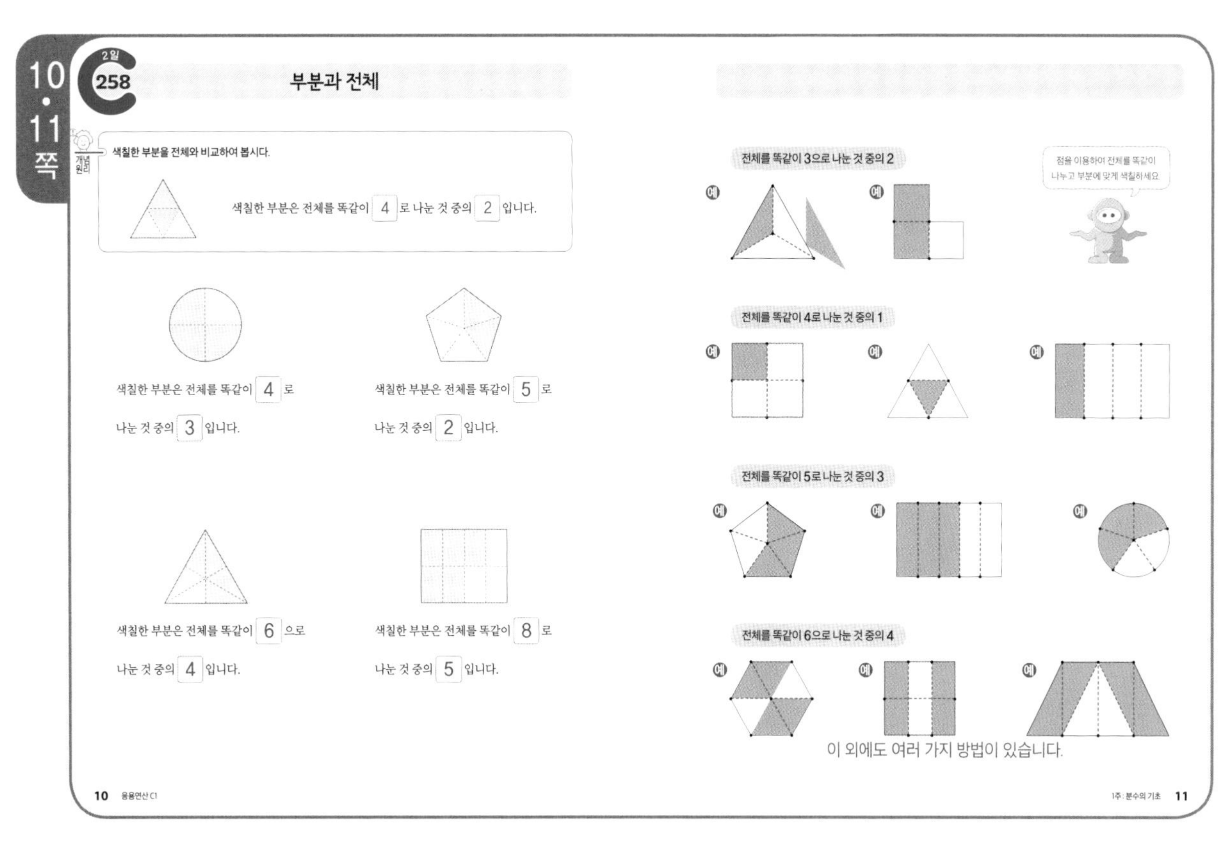
10·11쪽
2일 258
부분과 전체
개념원리
색칠한 부분을 전체와 비교하여 봅시다.
색칠한 부분은 전체를 똑같이 4 로 나눈 것 중의 2 입니다.
색칠한 부분은 전체를 똑같이 4 로 나눈 것 중의 3 입니다.
색칠한 부분은 전체를 똑같이 5 로 나눈 것 중의 2 입니다.
색칠한 부분은 전체를 똑같이 6 으로 나눈 것 중의 4 입니다.
색칠한 부분은 전체를 똑같이 8 로 나눈 것 중의 5 입니다.
전체를 똑같이 3으로 나눈 것 중의 2
점을 이용하여 전체를 똑같이 나누고 부분에 맞게 색칠하세요.
전체를 똑같이 4로 나눈 것 중의 1
전체를 똑같이 5로 나눈 것 중의 3
전체를 똑같이 6으로 나눈 것 중의 4
이 외에도 여러 가지 방법이 있습니다.
10 응용연산 C1
1주: 분수의 기초 11

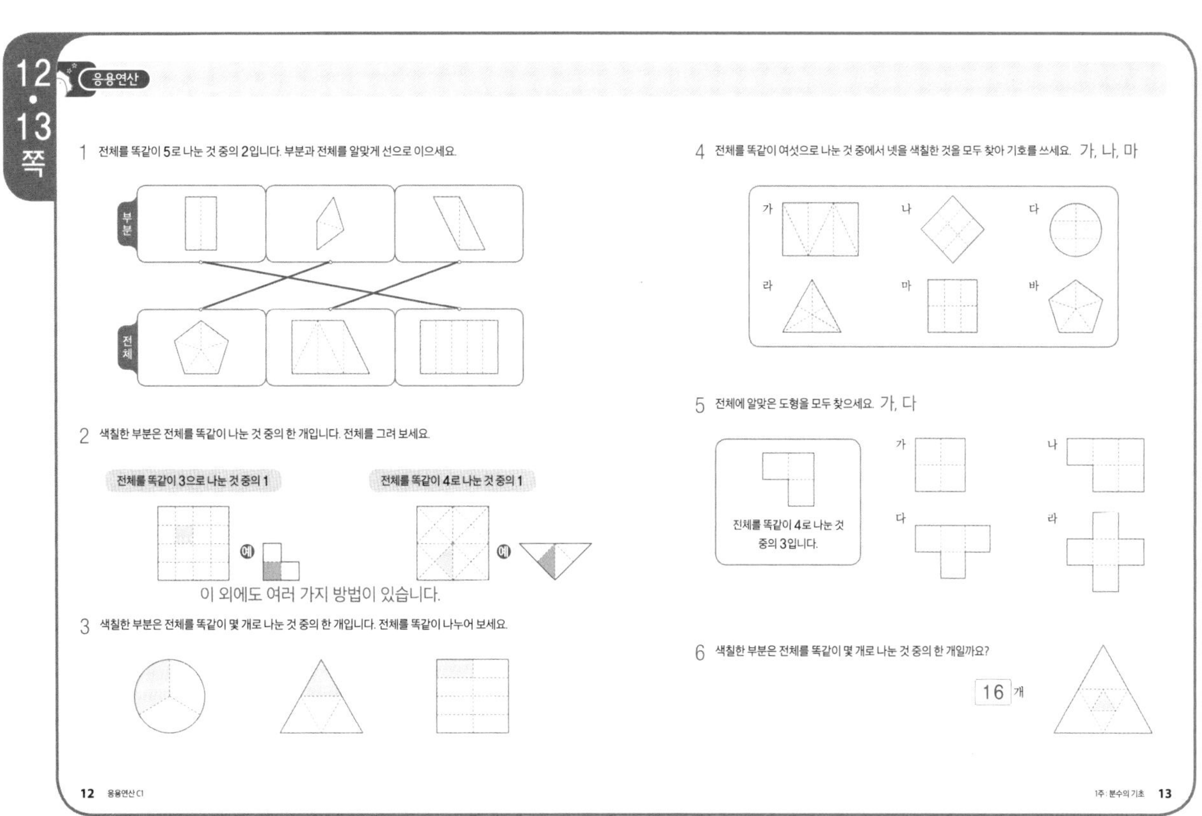
12·13쪽
응용연산
1 전체를 똑같이 5로 나눈 것 중의 2입니다. 부분과 전체를 알맞게 선으로 이으세요.
부분
전체
2 색칠한 부분은 전체를 똑같이 나눈 것 중의 한 개입니다. 전체를 그려 보세요.
전체를 똑같이 3으로 나눈 것 중의 1
전체를 똑같이 4로 나눈 것 중의 1
이 외에도 여러 가지 방법이 있습니다.
3 색칠한 부분은 전체를 똑같이 몇 개로 나눈 것 중의 한 개입니다. 전체를 똑같이 나누어 보세요.
4 전체를 똑같이 여섯으로 나눈 것 중에서 넷을 색칠한 것을 모두 찾아 기호를 쓰세요. 가, 나, 마
가 나 다 라 마 바
5 전체에 알맞은 도형을 모두 찾으세요. 가, 다
전체를 똑같이 4로 나눈 것 중의 3입니다.
가 나 다 라
6 색칠한 부분은 전체를 똑같이 몇 개로 나눈 것 중의 한 개일까요?
16 개
12 응용연산 C1
1주: 분수의 기초 13

14·15쪽

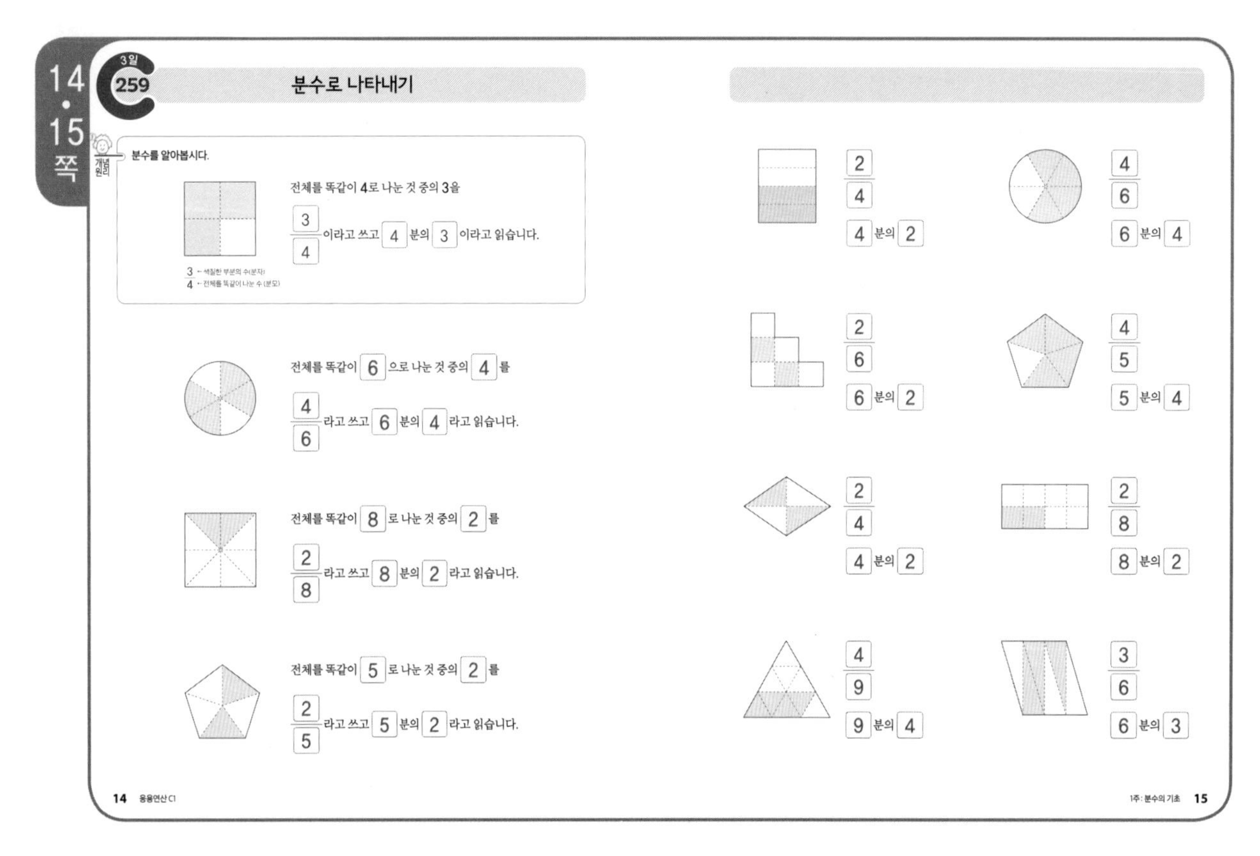
3일
259
분수로 나타내기
개념원리
분수를 알아봅시다.
전체를 똑같이 4로 나눈 것 중의 3을
3/4 이라고 쓰고 4 분의 3 이라고 읽습니다.
3 ← 색칠한 부분의 수(분자)
4 ← 전체를 똑같이 나눈 수(분모)
전체를 똑같이 6 으로 나눈 것 중의 4 를
4/6 라고 쓰고 6 분의 4 라고 읽습니다.
전체를 똑같이 8 로 나눈 것 중의 2 를
2/8 라고 쓰고 8 분의 2 라고 읽습니다.
전체를 똑같이 5 로 나눈 것 중의 2 를
2/5 라고 쓰고 5 분의 2 라고 읽습니다.
2/4 4 분의 2
4/6 6 분의 4
2/6 6 분의 2
4/5 5 분의 4
2/4 4 분의 2
2/8 8 분의 2
4/9 9 분의 4
3/6 6 분의 3
14 응용연산 C1
1주: 분수의 기초 15

16·17쪽

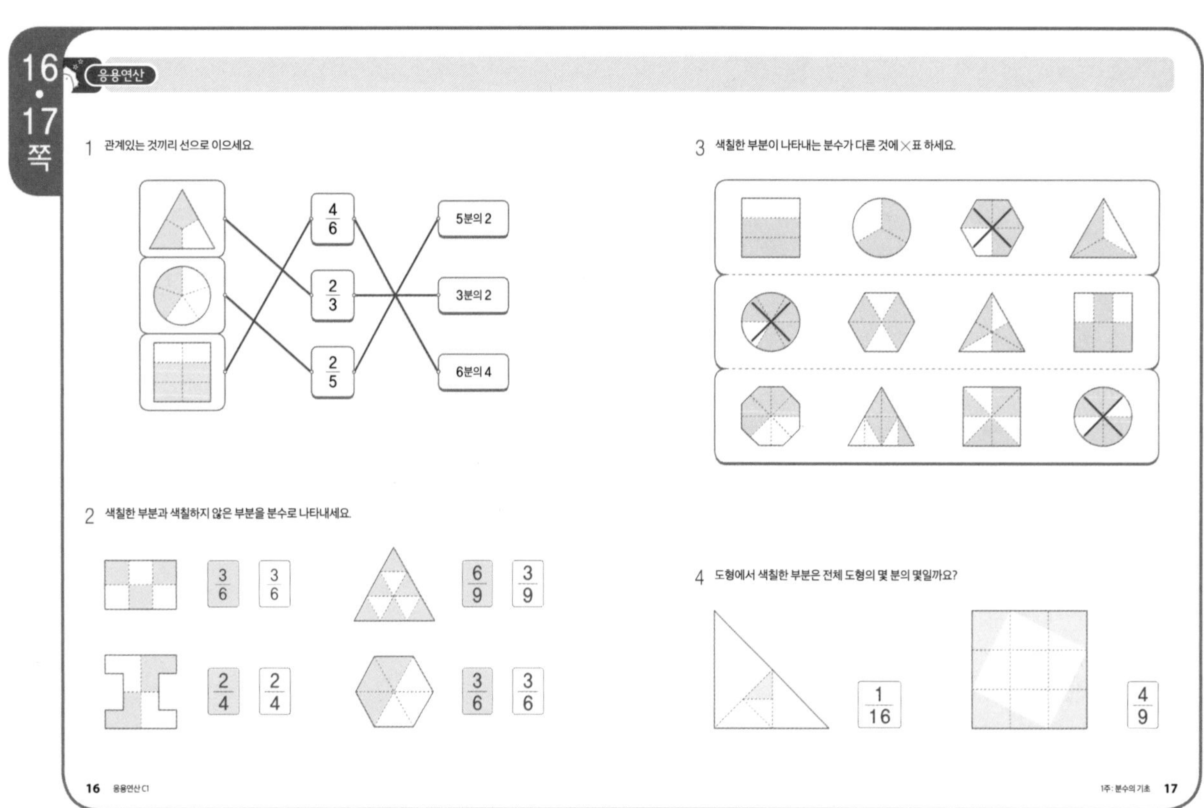
응용연산
1 관계있는 것끼리 선으로 이으세요.
4/6
2/3
2/5
5분의 2
3분의 2
6분의 4
2 색칠한 부분과 색칠하지 않은 부분을 분수로 나타내세요.
3/6 3/6
6/9 3/9
2/4 2/4
3/6 3/6
3 색칠한 부분이 나타내는 분수가 다른 것에 ×표 하세요.
4 도형에서 색칠한 부분은 전체 도형의 몇 분의 몇일까요?
1/16
4/9
16 응용연산 C1
1주: 분수의 기초 17

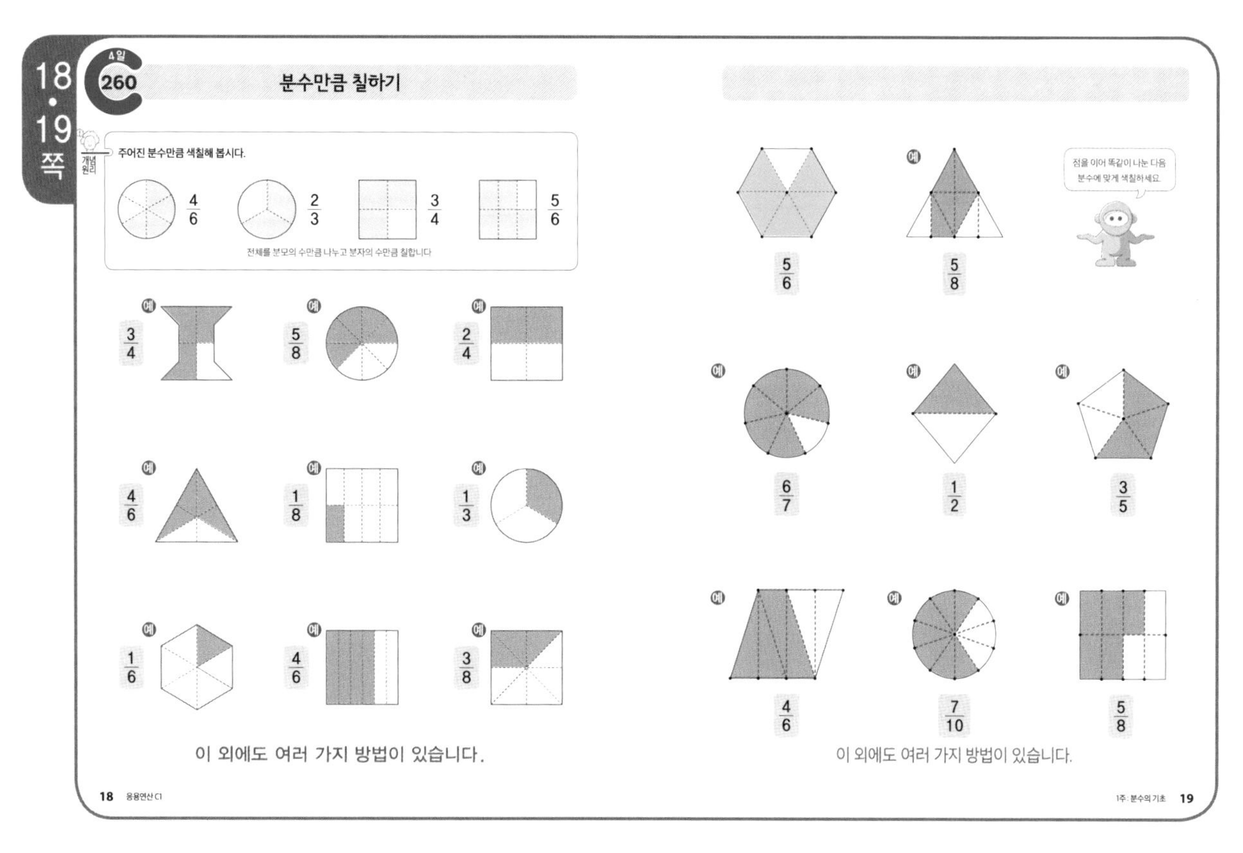

18·19쪽
4일
260
분수만큼 칠하기
개념원리
주어진 분수만큼 색칠해 봅시다.
전체를 분모의 수만큼 나누고 분자의 수만큼 칠합니다
이 외에도 여러 가지 방법이 있습니다.
정을 이어 똑같이 나눈 다음 분수에 맞게 색칠하세요.
이 외에도 여러 가지 방법이 있습니다.
18 응용연산 C1
1주 분수의 기초 19

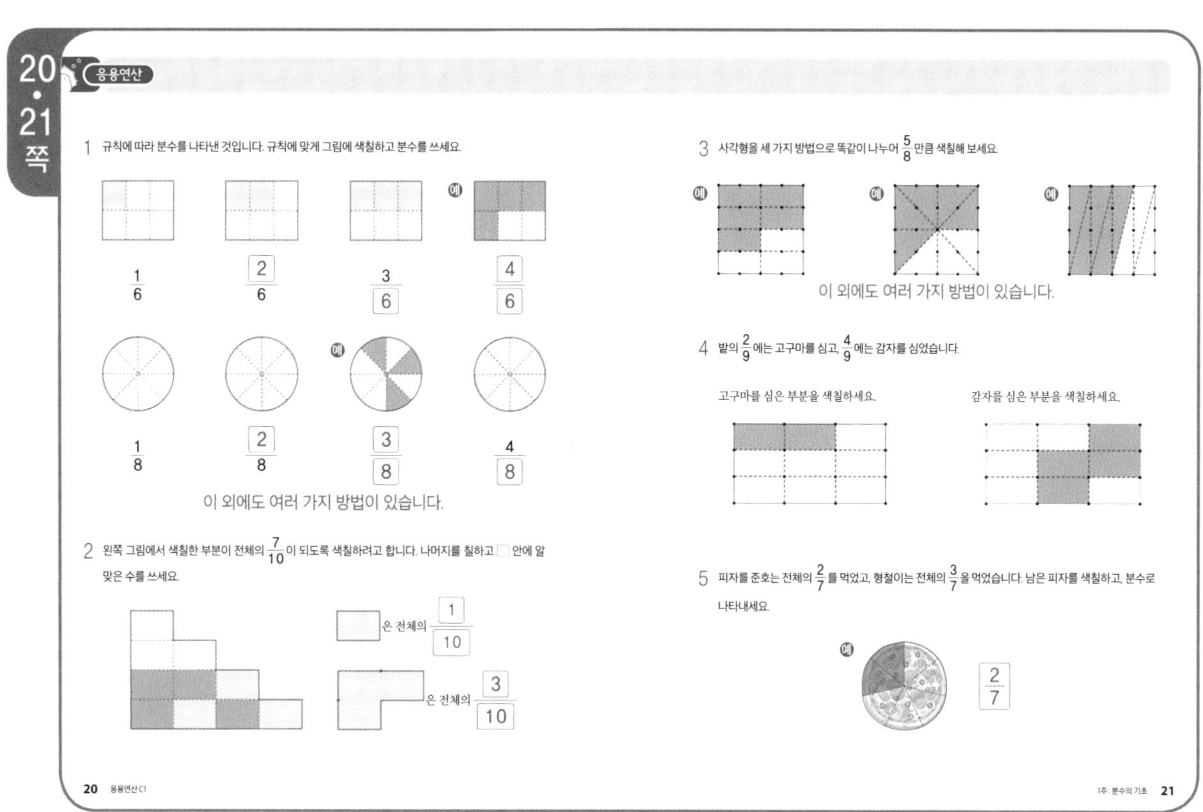

20·21쪽
응용연산
1 규칙에 따라 분수를 나타낸 것입니다. 규칙에 맞게 그림에 색칠하고 분수를 쓰세요.
이 외에도 여러 가지 방법이 있습니다.
2 왼쪽 그림에서 색칠한 부분이 전체의 7/10이 되도록 색칠하려고 합니다. 나머지를 칠하고 안에 알맞은 수를 쓰세요.
은 전체의 1/10
은 전체의 3/10
3 사각형을 세 가지 방법으로 똑같이 나누어 5/8만큼 색칠해 보세요.
이 외에도 여러 가지 방법이 있습니다.
4 밭의 2/9에는 고구마를 심고, 4/9에는 감자를 심었습니다.
고구마를 심은 부분을 색칠하세요.
감자를 심은 부분을 색칠하세요.
5 피자를 준호는 전체의 2/7를 먹었고, 형철이는 전체의 3/7을 먹었습니다. 남은 피자를 색칠하고, 분수로 나타내세요.
2/7
20 응용연산 C1
1주 분수의 기초 21

정답 및 해설

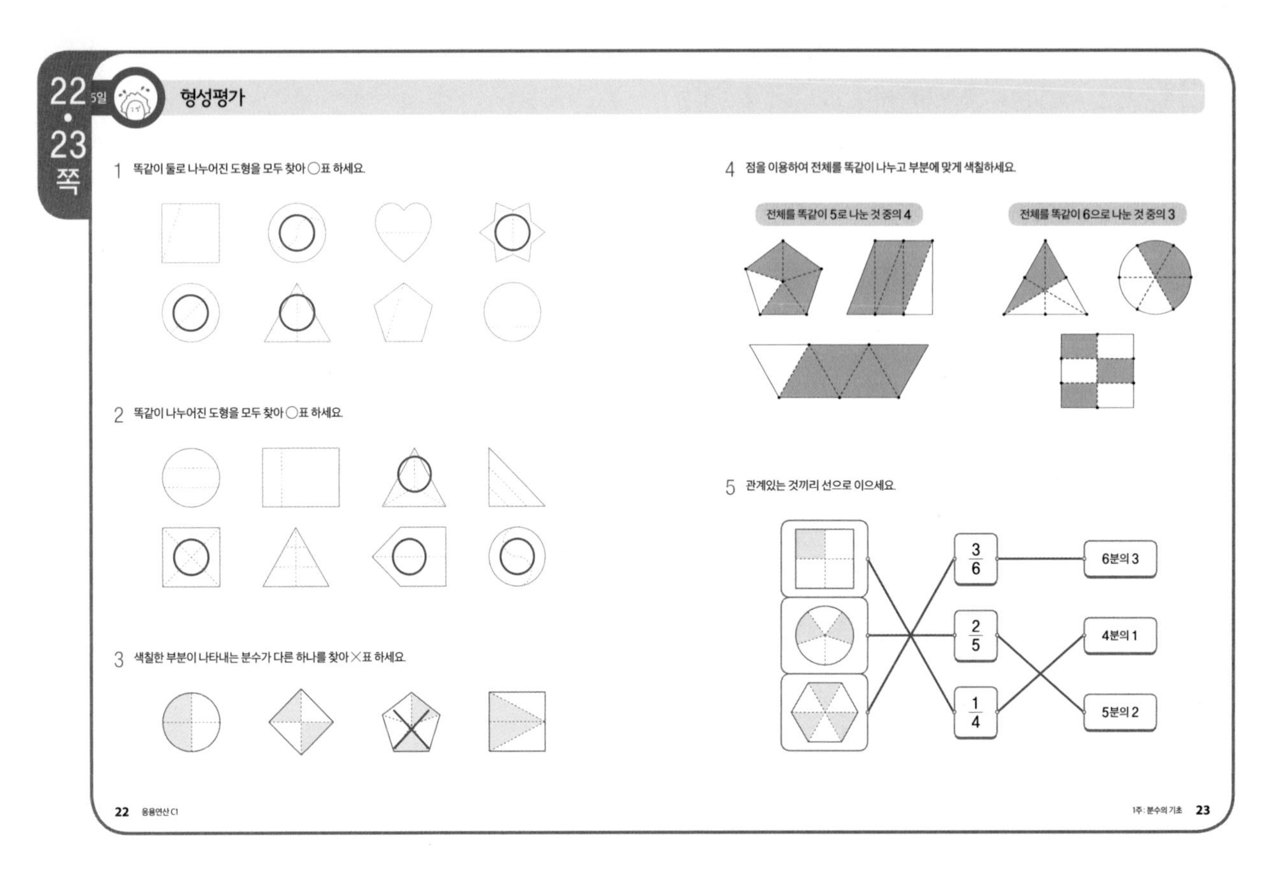

22
23
쪽
5일
형성평가
1 똑같이 둘로 나누어진 도형을 모두 찾아 ○표 하세요.
2 똑같이 나누어진 도형을 모두 찾아 ○표 하세요.
3 색칠한 부분이 나타내는 분수가 다른 하나를 찾아 ×표 하세요.
4 점을 이용하여 전체를 똑같이 나누고 부분에 맞게 색칠하세요.
전체를 똑같이 5로 나눈 것 중의 4
전체를 똑같이 6으로 나눈 것 중의 3
5 관계있는 것끼리 선으로 이으세요.
3/6
2/5
1/4
6분의 3
4분의 1
5분의 2
22 응용연산 C1
1주: 분수의 기초 23

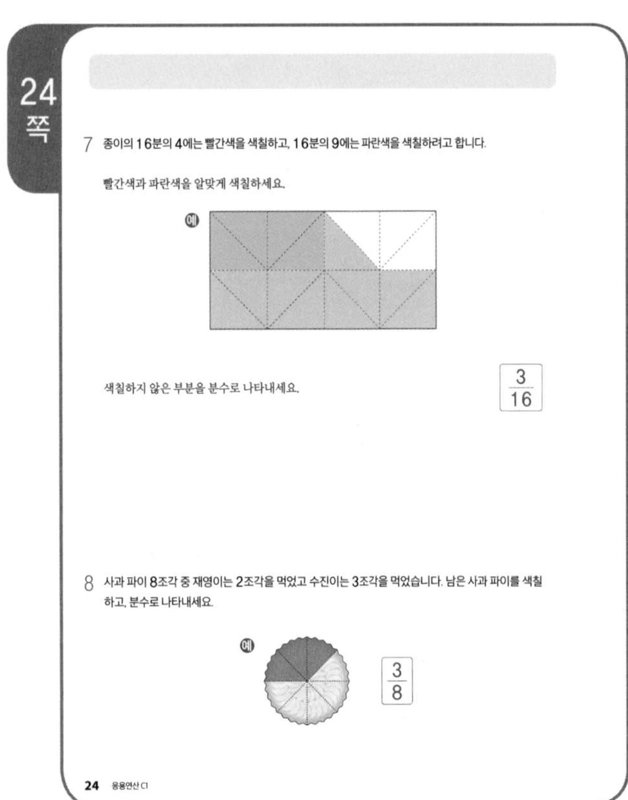

24
쪽
7 종이의 16분의 4에는 빨간색을 색칠하고, 16분의 9에는 파란색을 색칠하려고 합니다.
빨간색과 파란색을 알맞게 색칠하세요.
예
색칠하지 않은 부분을 분수로 나타내세요.
3/16
8 사과 파이 8조각 중 재영이는 2조각을 먹었고 수진이는 3조각을 먹었습니다. 남은 사과 파이를 색칠하고, 분수로 나타내세요.
예
3/8
24 응용연산 C1

분수의 크기 비교 (1)

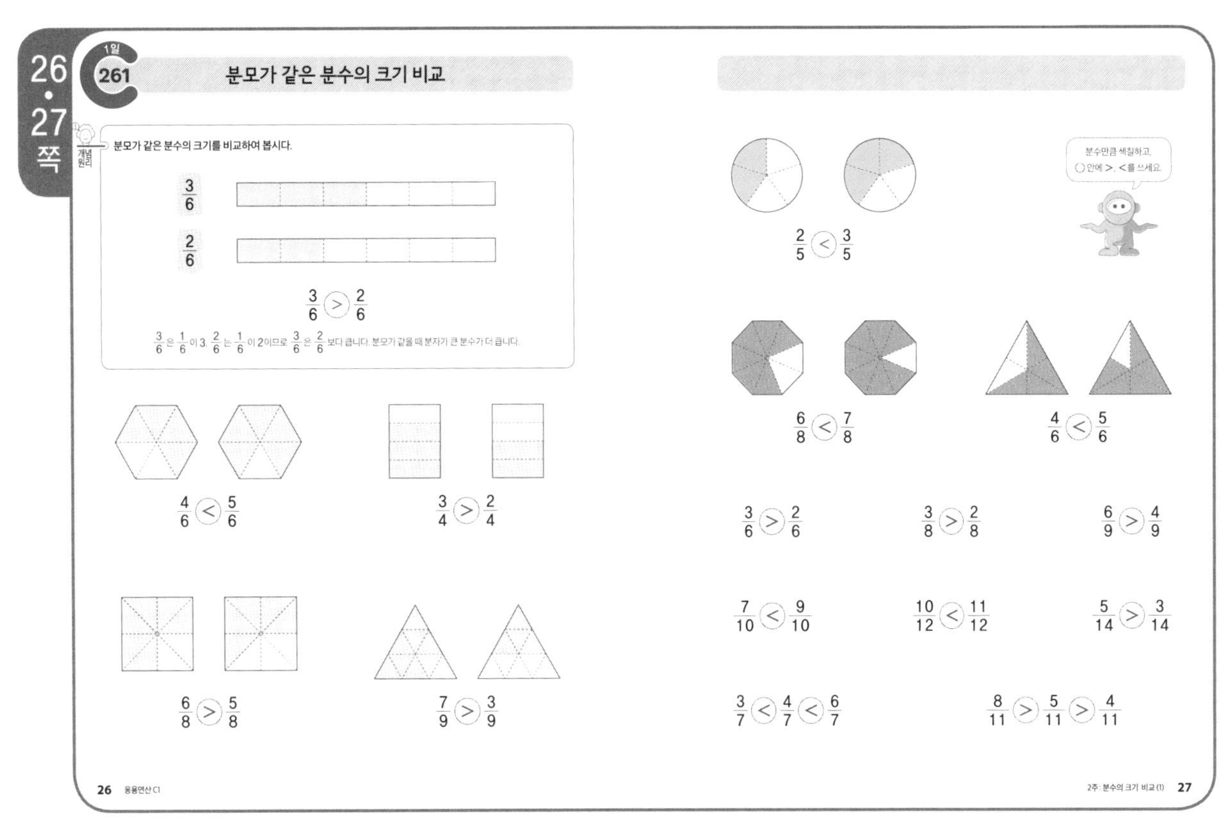
26·27쪽

1일 261 분모가 같은 분수의 크기 비교

개념원리 분모가 같은 분수의 크기를 비교하여 봅시다.

$\frac{3}{6}$

$\frac{2}{6}$

$\frac{3}{6} > \frac{2}{6}$

$\frac{3}{6}$은 $\frac{1}{6}$이 3, $\frac{2}{6}$는 $\frac{1}{6}$이 2이므로 $\frac{3}{6}$은 $\frac{2}{6}$보다 큽니다. 분모가 같을 때 분자가 큰 분수가 더 큽니다.

$\frac{4}{6} < \frac{5}{6}$ $\frac{3}{4} > \frac{2}{4}$

$\frac{6}{8} > \frac{5}{8}$ $\frac{7}{9} > \frac{3}{9}$

분수만큼 색칠하고, ◯ 안에 >, <를 쓰세요.

$\frac{2}{5} < \frac{3}{5}$

$\frac{6}{8} < \frac{7}{8}$ $\frac{4}{6} < \frac{5}{6}$

$\frac{3}{6} > \frac{2}{6}$ $\frac{3}{8} > \frac{2}{8}$ $\frac{6}{9} > \frac{4}{9}$

$\frac{7}{10} < \frac{9}{10}$ $\frac{10}{12} < \frac{11}{12}$ $\frac{5}{14} > \frac{3}{14}$

$\frac{3}{7} < \frac{4}{7} < \frac{6}{7}$ $\frac{8}{11} > \frac{5}{11} > \frac{4}{11}$

26 응용연산 C1 2주: 분수의 크기 비교 (1) 27

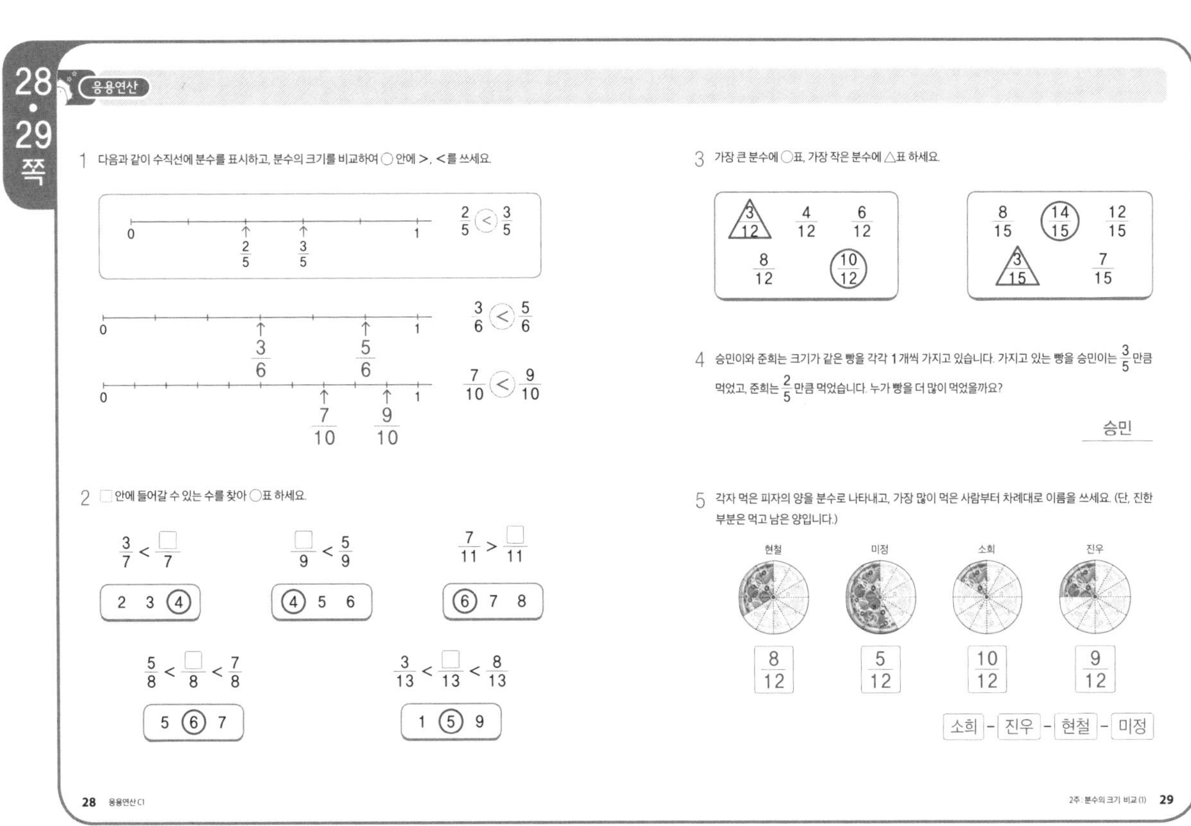
28·29쪽

응용연산

1 다음과 같이 수직선에 분수를 표시하고, 분수의 크기를 비교하여 ◯ 안에 >, <를 쓰세요.

$\frac{2}{5} < \frac{3}{5}$

$\frac{3}{6} < \frac{5}{6}$

$\frac{7}{10} < \frac{9}{10}$

2 □ 안에 들어갈 수 있는 수를 찾아 ◯표 하세요.

$\frac{3}{7} < \frac{\square}{7}$: 2 3 (4)

$\frac{\square}{9} < \frac{5}{9}$: (4) 5 6

$\frac{7}{11} > \frac{\square}{11}$: (6) 7 8

$\frac{5}{8} < \frac{\square}{8} < \frac{7}{8}$: 5 (6) 7

$\frac{3}{13} < \frac{\square}{13} < \frac{8}{13}$: 1 (5) 9

3 가장 큰 분수에 ◯표, 가장 작은 분수에 △표 하세요.

△$\frac{3}{12}$ $\frac{4}{12}$ $\frac{6}{12}$ $\frac{8}{12}$ ◯$\frac{10}{12}$

$\frac{8}{15}$ ◯$\frac{14}{15}$ $\frac{12}{15}$ △$\frac{3}{15}$ $\frac{7}{15}$

4 승민이와 준희는 크기가 같은 빵을 각각 1개씩 가지고 있습니다. 가지고 있는 빵을 승민이는 $\frac{3}{5}$만큼 먹었고, 준희는 $\frac{2}{5}$만큼 먹었습니다. 누가 빵을 더 많이 먹었을까요?

승민

5 각자 먹은 피자의 양을 분수로 나타내고, 가장 많이 먹은 사람부터 차례대로 이름을 쓰세요. (단, 진한 부분은 먹고 남은 양입니다.)

현철 $\frac{8}{12}$ 미정 $\frac{5}{12}$ 소희 $\frac{10}{12}$ 진우 $\frac{9}{12}$

소희 - 진우 - 현철 - 미정

28 응용연산 C1 2주: 분수의 크기 비교 (1) 29

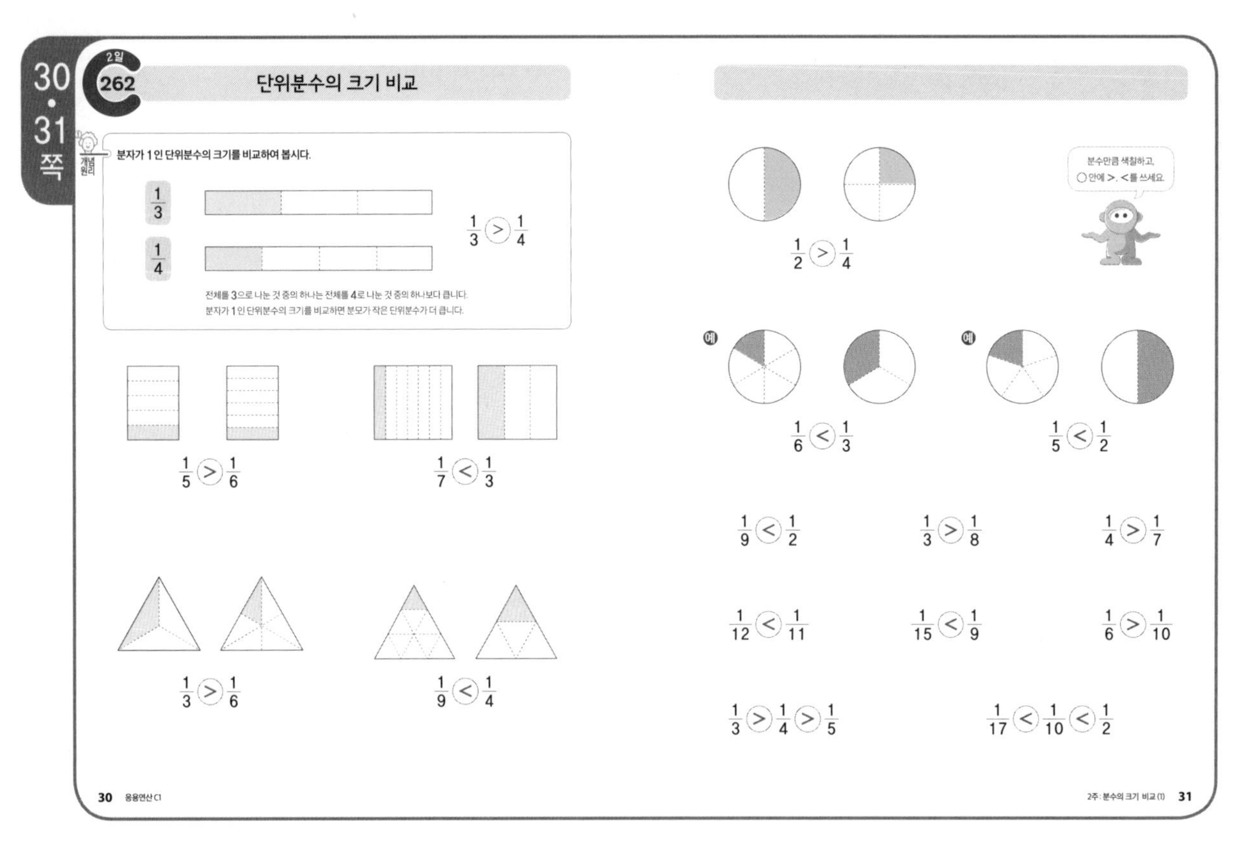

30·31쪽

2일 262

단위분수의 크기 비교

개념원리 분자가 1인 단위분수의 크기를 비교하여 봅시다.

$\frac{1}{3}$ $\frac{1}{4}$ $\frac{1}{3} > \frac{1}{4}$

전체를 3으로 나눈 것 중의 하나는 전체를 4로 나눈 것 중의 하나보다 큽니다.
분자가 1인 단위분수의 크기를 비교하면 분모가 작은 단위분수가 더 큽니다.

$\frac{1}{5} > \frac{1}{6}$ $\frac{1}{7} < \frac{1}{3}$

$\frac{1}{3} > \frac{1}{6}$ $\frac{1}{9} < \frac{1}{4}$

$\frac{1}{2} > \frac{1}{4}$

예 $\frac{1}{6} < \frac{1}{3}$ 예 $\frac{1}{5} < \frac{1}{2}$

$\frac{1}{9} < \frac{1}{2}$ $\frac{1}{3} > \frac{1}{8}$ $\frac{1}{4} > \frac{1}{7}$

$\frac{1}{12} < \frac{1}{11}$ $\frac{1}{15} < \frac{1}{9}$ $\frac{1}{6} > \frac{1}{10}$

$\frac{1}{3} > \frac{1}{4} > \frac{1}{5}$ $\frac{1}{17} < \frac{1}{10} < \frac{1}{2}$

30 응용연산 C1 2주 : 분수의 크기 비교 (1) 31

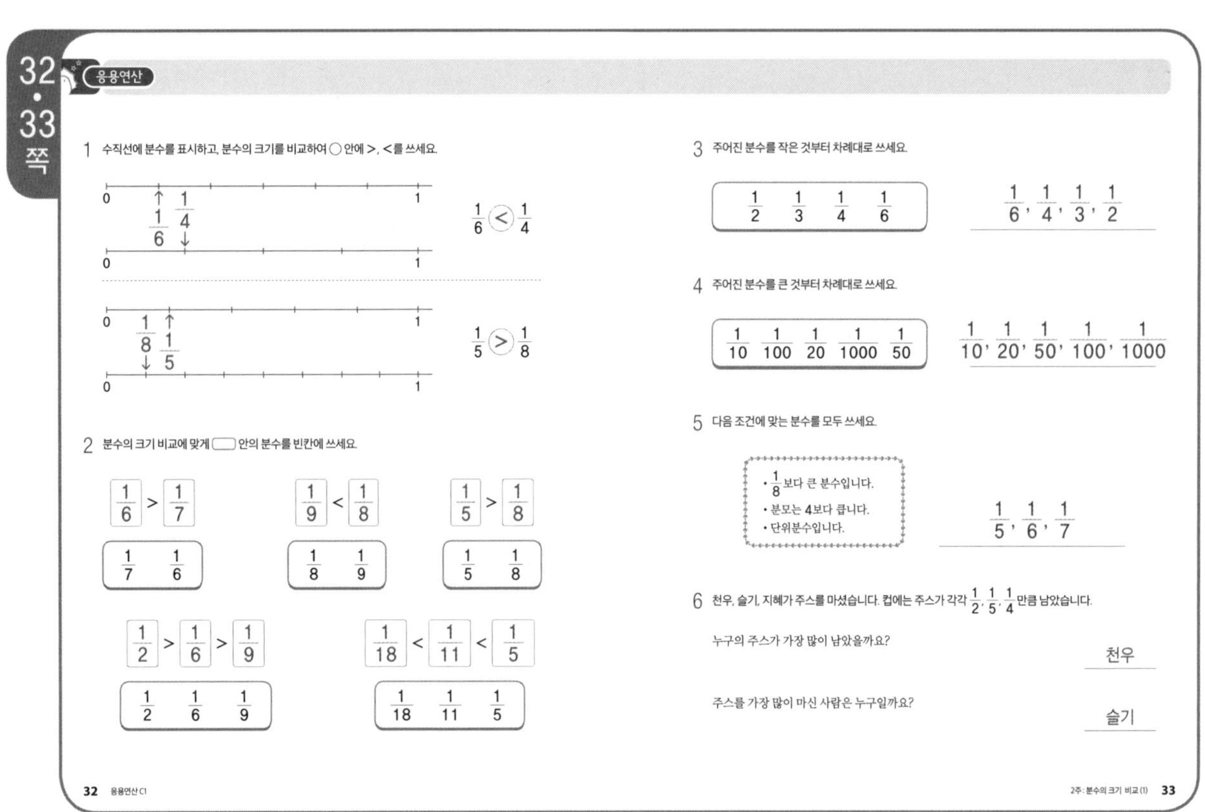

32·33쪽

응용연산

1 수직선에 분수를 표시하고, 분수의 크기를 비교하여 ○ 안에 >, <를 쓰세요.

$\frac{1}{6} < \frac{1}{4}$

$\frac{1}{5} > \frac{1}{8}$

2 분수의 크기 비교에 맞게 ▭ 안의 분수를 빈칸에 쓰세요.

$\frac{1}{6} > \frac{1}{7}$ ($\frac{1}{7}$ $\frac{1}{6}$) $\frac{1}{9} < \frac{1}{8}$ ($\frac{1}{8}$ $\frac{1}{9}$) $\frac{1}{5} > \frac{1}{8}$ ($\frac{1}{5}$ $\frac{1}{8}$)

$\frac{1}{2} > \frac{1}{6} > \frac{1}{9}$ ($\frac{1}{2}$ $\frac{1}{6}$ $\frac{1}{9}$) $\frac{1}{18} < \frac{1}{11} < \frac{1}{5}$ ($\frac{1}{18}$ $\frac{1}{11}$ $\frac{1}{5}$)

3 주어진 분수를 작은 것부터 차례대로 쓰세요.

$\frac{1}{2}$ $\frac{1}{3}$ $\frac{1}{4}$ $\frac{1}{6}$ → $\frac{1}{6}, \frac{1}{4}, \frac{1}{3}, \frac{1}{2}$

4 주어진 분수를 큰 것부터 차례대로 쓰세요.

$\frac{1}{10}$ $\frac{1}{100}$ $\frac{1}{20}$ $\frac{1}{1000}$ $\frac{1}{50}$ → $\frac{1}{10}, \frac{1}{20}, \frac{1}{50}, \frac{1}{100}, \frac{1}{1000}$

5 다음 조건에 맞는 분수를 모두 쓰세요.

- $\frac{1}{8}$보다 큰 분수입니다.
- 분모는 4보다 큽니다.
- 단위분수입니다.

$\frac{1}{5}, \frac{1}{6}, \frac{1}{7}$

6 천우, 슬기, 지혜가 주스를 마셨습니다. 컵에는 주스가 각각 $\frac{1}{2}, \frac{1}{5}, \frac{1}{4}$만큼 남았습니다.

누구의 주스가 가장 많이 남았을까요? 천우

주스를 가장 많이 마신 사람은 누구일까요? 슬기

32 응용연산 C1 2주 : 분수의 크기 비교 (1) 33

34·35쪽

3일 263

분자 또는 분모가 같은 분수의 크기 비교

개념 원리 분모가 같은 분수, 분자가 같은 분수의 크기를 비교하여 봅시다.

$\frac{2}{5}$, $\frac{3}{5}$, $\frac{3}{4}$

$\frac{2}{5} < \frac{3}{5} < \frac{3}{4}$

분모가 같을 때 분자가 클수록 더 큰 분수입니다. $\frac{2}{5} < \frac{3}{5}$

분자가 같을 때 분모가 작을수록 더 큰 분수입니다. $\frac{3}{5} < \frac{3}{4}$

$\frac{4}{7} < \frac{5}{7} < \frac{5}{6}$

$\frac{2}{5} > \frac{2}{6} > \frac{1}{6}$

$\frac{1}{5} > \frac{1}{6}$　$\frac{2}{5} > \frac{1}{5}$　$\frac{3}{8} < \frac{3}{7}$

$\frac{2}{9} < \frac{7}{9}$　$\frac{5}{7} < \frac{5}{6}$　$\frac{4}{7} < \frac{6}{7}$

$\frac{1}{8} < \frac{1}{3}$　$\frac{5}{8} > \frac{3}{8}$　$\frac{4}{9} > \frac{4}{11}$

$\frac{1}{8} < \frac{1}{6} < \frac{1}{2}$　$\frac{1}{9} < \frac{2}{9} < \frac{3}{9}$

$\frac{3}{12} < \frac{3}{8} < \frac{3}{7}$　$\frac{8}{11} > \frac{5}{11} > \frac{2}{11}$

$\frac{2}{7} < \frac{3}{7} < \frac{3}{5}$　$\frac{4}{9} < \frac{4}{7} < \frac{5}{7}$

34 응용연산 C1　　2주 · 분수의 크기 비교 (1) 35

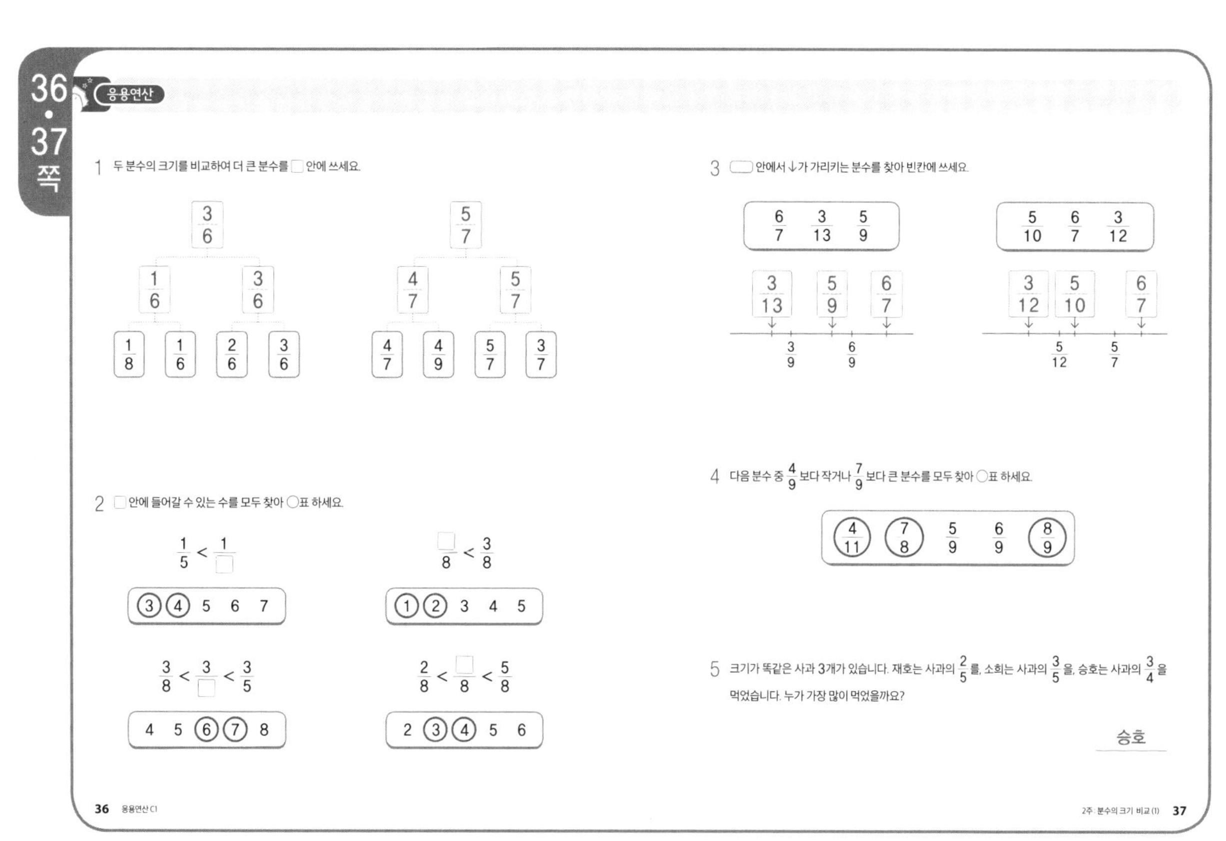
36·37쪽

응용연산

1 두 분수의 크기를 비교하여 더 큰 분수를 □ 안에 쓰세요.

$\frac{3}{6}$ ← $\frac{1}{6}$, $\frac{3}{6}$ ← $\frac{1}{8}$, $\frac{1}{6}$, $\frac{2}{6}$, $\frac{3}{6}$

$\frac{5}{7}$ ← $\frac{4}{7}$, $\frac{5}{7}$ ← $\frac{4}{7}$, $\frac{4}{9}$, $\frac{5}{7}$, $\frac{3}{7}$

2 □ 안에 들어갈 수 있는 수를 모두 찾아 ○표 하세요.

$\frac{1}{5} < \frac{1}{□}$: ③ ④ 5 6 7

$\frac{□}{8} < \frac{3}{8}$: ① ② 3 4 5

$\frac{3}{8} < \frac{3}{□} < \frac{3}{5}$: 4 5 ⑥ ⑦ 8

$\frac{2}{8} < \frac{□}{8} < \frac{5}{8}$: 2 ③ ④ 5 6

3 ▭ 안에서 ↓가 가리키는 분수를 찾아 빈칸에 쓰세요.

$\frac{6}{7}$ $\frac{3}{13}$ $\frac{5}{9}$ → $\frac{3}{13}$, $\frac{3}{9}$, $\frac{5}{9}$, $\frac{6}{9}$, $\frac{6}{7}$

$\frac{5}{10}$ $\frac{6}{7}$ $\frac{3}{12}$ → $\frac{3}{12}$, $\frac{5}{12}$, $\frac{5}{10}$, $\frac{5}{7}$, $\frac{6}{7}$

4 다음 분수 중 $\frac{4}{9}$ 보다 작거나 $\frac{7}{9}$ 보다 큰 분수를 모두 찾아 ○표 하세요.

ⓞ$\frac{4}{11}$ ⓞ$\frac{7}{8}$ $\frac{5}{9}$ $\frac{6}{9}$ ⓞ$\frac{8}{9}$

5 크기가 똑같은 사과 3개가 있습니다. 재호는 사과의 $\frac{2}{5}$ 를, 소희는 사과의 $\frac{3}{5}$ 을, 승호는 사과의 $\frac{3}{4}$ 을 먹었습니다. 누가 가장 많이 먹었을까요?

승호

36 응용연산 C1　　2주 · 분수의 크기 비교 (1) 37

38·39쪽

4일 C 264

크기가 같은 분수

개념원리 크기가 같은 분수를 알아봅시다.

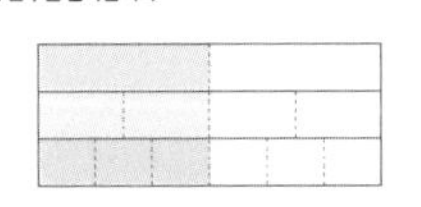

$\frac{1}{2}=\frac{2}{4}=\frac{3}{6}$

분모, 분자에 0이 아닌 같은 수를 곱하면 크기가 같은 분수가 됩니다. $\frac{1}{2}=\frac{1\times2}{2\times2}=\frac{2}{4}$

분모, 분자에 0이 아닌 같은 수를 나누어도 크기가 같은 분수가 됩니다. $\frac{3}{6}=\frac{3\div3}{6\div3}=\frac{1}{2}$

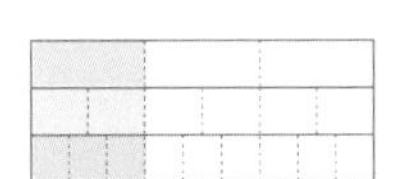

$\frac{1}{3}=\frac{2}{6}=\frac{3}{9}$

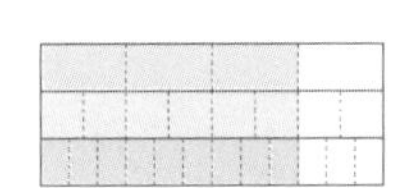

$\frac{3}{4}=\frac{6}{8}=\frac{9}{12}$

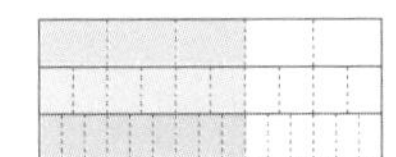

$\frac{3}{5}=\frac{6}{10}=\frac{9}{15}$

$\frac{2}{3}=\frac{2\times2}{3\times2}=\frac{4}{6}$　　$\frac{6}{12}=\frac{6\div3}{12\div3}=\frac{2}{4}$

$\frac{3}{5}=\frac{3\times2}{5\times2}=\frac{6}{10}$　　$\frac{6}{9}=\frac{6\div3}{9\div3}=\frac{2}{3}$

$\frac{1}{4}=\frac{3}{12}$　$\frac{3}{9}=\frac{1}{3}$　$\frac{2}{7}=\frac{4}{14}$

$\frac{6}{12}=\frac{3}{6}$　$\frac{1}{5}=\frac{2}{10}$　$\frac{4}{10}=\frac{2}{5}$

$\frac{3}{6}=\frac{6}{12}$　$\frac{3}{15}=\frac{1}{5}$　$\frac{3}{7}=\frac{9}{21}$

38 응용연산 C1　　2주: 분수의 크기 비교 (1) 39

40·41쪽

응용연산

1 크기가 같은 분수끼리 선으로 이으세요.

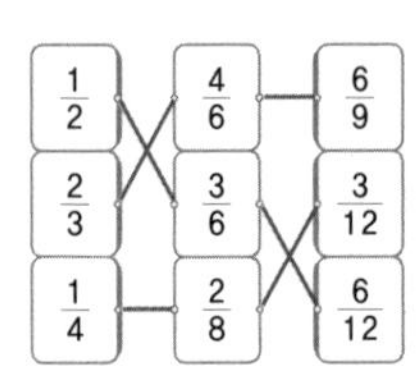

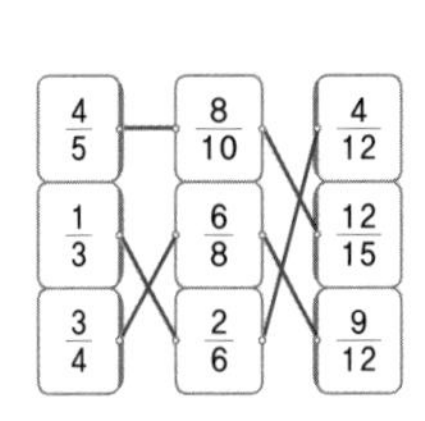

2 왼쪽 분수와 크기가 같은 분수를 모두 찾아 ○표 하세요.

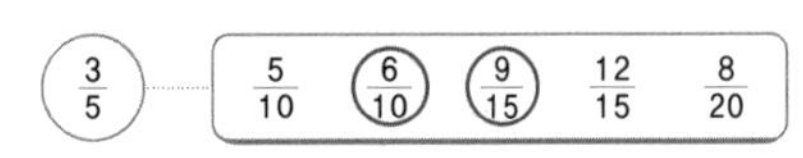

$\frac{3}{5}$: $\frac{5}{10}$, ($\frac{6}{10}$), ($\frac{9}{15}$), $\frac{12}{15}$, $\frac{8}{20}$

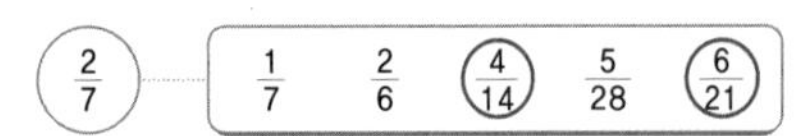

$\frac{2}{7}$: $\frac{1}{7}$, $\frac{2}{6}$, ($\frac{4}{14}$), $\frac{5}{28}$, ($\frac{6}{21}$)

3 다음과 같이 분수를 수직선에 표시하고 크기가 같은 두 분수를 쓰세요.

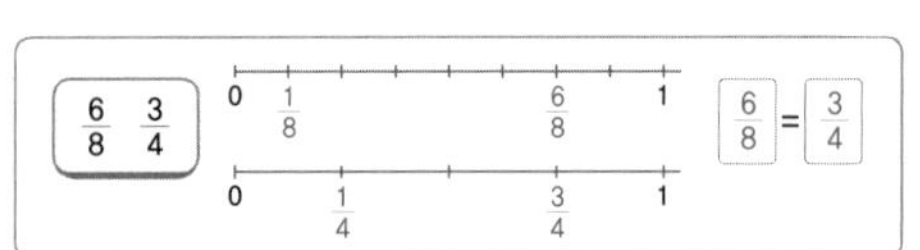

$\frac{6}{8}=\frac{3}{4}$

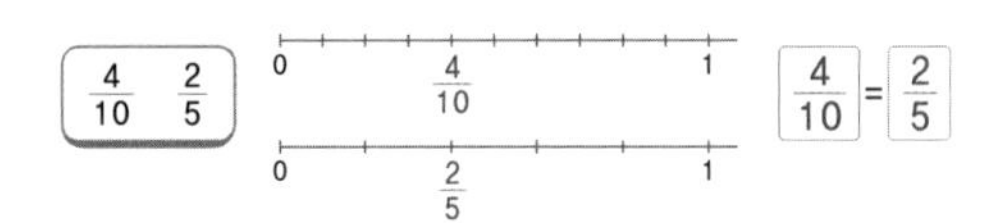

$\frac{4}{10}=\frac{2}{5}$

4 크기가 같은 분수입니다. □ 안에 알맞은 수를 쓰세요.

$\frac{2}{3}=\frac{4}{6}=\frac{6}{9}=\frac{8}{12}$　　$\frac{2}{5}=\frac{4}{10}=\frac{6}{15}=\frac{8}{20}$

5 지수는 동화책을 $\frac{4}{6}$시간, 수정이는 $\frac{2}{4}$시간, 민정이는 $\frac{3}{5}$시간, 동호는 $\frac{2}{3}$시간 읽었습니다. 동화책을 읽은 시간이 같은 사람은 누구와 누구일까요?

지수 와 동호

40 응용연산 C1　　2주: 분수의 크기 비교 (1) 41

42 • 43 쪽

5일 형성평가

1 분수의 크기를 비교하여 ◯ 안에 >, <를 쓰세요.

$\frac{3}{7} < \frac{4}{7}$ $\frac{2}{4} > \frac{2}{5}$ $\frac{10}{15} < \frac{14}{15}$ $\frac{9}{12} < \frac{9}{10}$

$\frac{8}{11} > \frac{5}{11} > \frac{4}{11}$ $\frac{4}{9} < \frac{4}{7} < \frac{4}{5}$

2 민아와 현수는 양이 같은 공기밥을 각각 하나씩 먹었습니다. 민아는 공깃밥의 $\frac{2}{6}$만큼 남겼고, 현수는 $\frac{4}{6}$만큼 남겼습니다. 누가 더 많이 밥을 먹었을까요?

민아

3 수직선에 분수를 표시하고, 분수의 크기를 비교하여 ◯ 안에 >, <를 쓰세요.

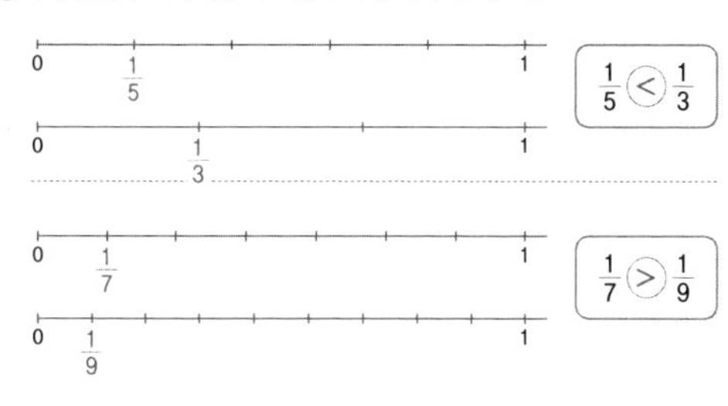

$\frac{1}{5} < \frac{1}{3}$

0 $\frac{1}{7}$ 1

0 $\frac{1}{9}$ 1

$\frac{1}{7} > \frac{1}{9}$

4 다음 조건에 맞는 분수를 모두 쓰세요.

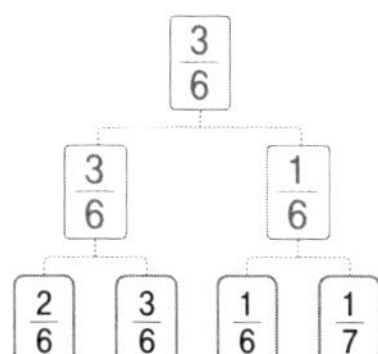

• 단위분수입니다.
• 분모는 9보다 작습니다.
• 1/3보다 작은 분수입니다.

$\frac{1}{4}, \frac{1}{5}, \frac{1}{6}, \frac{1}{7}, \frac{1}{8}$

5 두 분수의 크기를 비교하여 더 큰 분수를 □ 안에 쓰세요.

$\frac{3}{6}$ ← $\frac{3}{6}$, $\frac{1}{6}$ ← ($\frac{2}{6}$, $\frac{3}{6}$), ($\frac{1}{6}$, $\frac{1}{7}$)

$\frac{7}{8}$ ← $\frac{6}{8}$, $\frac{7}{8}$ ← ($\frac{6}{8}$, $\frac{6}{9}$), ($\frac{3}{8}$, $\frac{7}{8}$)

6 같은 크기의 땅에 꽃을 심습니다. 혁진이는 땅의 $\frac{3}{6}$에, 연수는 $\frac{4}{5}$에, 영선이는 $\frac{3}{5}$에 꽃을 심었습니다. 누가 가장 많이 꽃을 심었을까요?

연수

44 쪽

7 크기가 같은 분수끼리 선으로 이으세요.

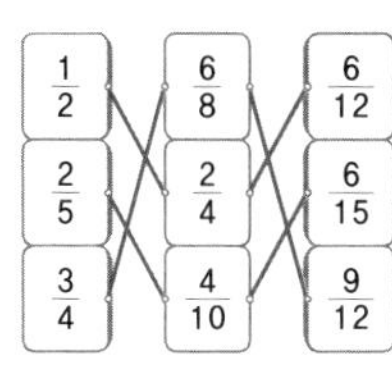

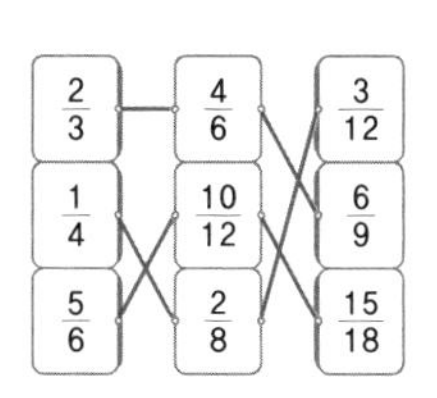

8 수현, 유정, 지윤, 준성이는 같은 길이의 연필을 가지고 있습니다. 수현이는 연필의 $\frac{2}{3}$, 유정이는 $\frac{1}{2}$, 지윤이는 $\frac{3}{4}$, 준성이는 $\frac{3}{6}$만큼 사용하였습니다. 연필의 길이가 같은 사람은 누구와 누구일까요?

유정 과 준성

조건과 분수

46·47쪽

265 2분의 1과 크기 비교

개념원리 분수의 크기를 $\frac{1}{2}$과 비교하여 봅시다.

$\frac{1}{6}$, $\frac{2}{6}$, $\frac{3}{6}$, $\frac{4}{6}$, $\frac{5}{6}$ (0, $\frac{1}{2}$, 1)

(분자의 2배) < (분모)이면 $\frac{1}{2}$ 보다 작고,

(분자의 2배) = (분모)이면 $\frac{1}{2}$ 과 같고,

(분자의 2배) > (분모)이면 $\frac{1}{2}$ 보다 큽니다.

$\frac{2}{6} < \frac{1}{2}$, $\frac{3}{6} = \frac{1}{2}$, $\frac{4}{6} > \frac{1}{2}$

$\frac{1}{5}$, $\frac{2}{5}$, $\frac{3}{5}$, $\frac{4}{5}$

$\frac{2}{5} < \frac{1}{2}$, $\frac{3}{5} > \frac{1}{2}$

$\frac{1}{8}$, $\frac{2}{8}$, $\frac{3}{8}$, $\frac{4}{8}$, $\frac{5}{8}$, $\frac{6}{8}$, $\frac{7}{8}$

$\frac{3}{8} < \frac{1}{2}$, $\frac{4}{8} = \frac{1}{2}$, $\frac{5}{8} > \frac{1}{2}$

$\frac{1}{7}$, $\frac{2}{7}$, $\frac{3}{7}$, $\frac{4}{7}$, $\frac{5}{7}$, $\frac{6}{7}$

$\frac{3}{7} < \frac{1}{2}$, $\frac{4}{7} > \frac{1}{2}$

분수의 크기를 비교하여 ○안에 >, =, <를 쓰세요.

$\frac{1}{2} < \frac{5}{6}$ $\frac{1}{2} > \frac{1}{6}$

$\frac{4}{9} < \frac{1}{2}$ $\frac{5}{9} > \frac{1}{2}$

$\frac{3}{4} > \frac{1}{2}$ $\frac{1}{2} = \frac{2}{4}$ $\frac{1}{4} < \frac{1}{2}$

$\frac{1}{3} < \frac{1}{2} < \frac{2}{3}$ $\frac{5}{7} > \frac{1}{2} > \frac{3}{7}$

$\frac{3}{9} < \frac{4}{9} < \frac{1}{2}$ $\frac{8}{11} > \frac{6}{11} > \frac{1}{2}$

$\frac{3}{7} < \frac{1}{2} = \frac{5}{10}$ $\frac{2}{4} = \frac{1}{2} < \frac{5}{7}$

48·49쪽

응용연산

1 ▭ 안의 분수를 □ 안에 알맞게 쓰세요.

$\frac{5}{10}$ $\frac{3}{10}$ $\frac{6}{10}$

$\frac{3}{10} < \frac{1}{2}$ $\frac{5}{10} = \frac{1}{2}$ $\frac{6}{10} > \frac{1}{2}$

2 다음은 $\frac{1}{2}$을 이용하여 두 분수의 크기를 비교한 것입니다. ○안에 >, =, <를 쓰세요.

$\frac{2}{3} > \frac{1}{2}$, $\frac{4}{9} < \frac{1}{2}$ ➡ $\frac{2}{3} > \frac{4}{9}$

$\frac{2}{3}$는 $\frac{1}{2}$보다 크고 $\frac{4}{9}$는 $\frac{1}{2}$보다 작으므로 $\frac{2}{3}$는 $\frac{4}{9}$보다 큽니다.

$\frac{6}{9} > \frac{1}{2}$, $\frac{3}{7} < \frac{1}{2}$ ➡ $\frac{6}{9} > \frac{3}{7}$

$\frac{5}{11} < \frac{1}{2}$, $\frac{3}{5} > \frac{1}{2}$ ➡ $\frac{5}{11} < \frac{3}{5}$

$\frac{8}{15} > \frac{1}{2}$, $\frac{5}{11} < \frac{1}{2}$ ➡ $\frac{8}{15} > \frac{5}{11}$

$\frac{6}{13} < \frac{1}{2}$, $\frac{5}{10} = \frac{1}{2}$ ➡ $\frac{6}{13} < \frac{5}{10}$

3 $\frac{1}{2}$과 크기가 같은 분수입니다. □ 안에 알맞은 수를 쓰세요.

$\frac{1}{2} = \frac{2}{4} = \frac{3}{6} = \frac{4}{8} = \frac{5}{10} = \frac{6}{12} = \frac{7}{14}$

4 분자가 5보다 작으면서 $\frac{1}{2}$보다 큰 분수를 모두 쓰세요.

$\frac{4}{5}$, $\frac{4}{6}$, $\frac{4}{7}$, $\frac{3}{4}$, $\frac{3}{5}$, $\frac{2}{3}$

5 은진이는 피자를 9조각으로 나눈 후 4조각을 먹었습니다. 남은 피자는 절반보다 더 많을까요, 적을까요? 남은 피자를 분수로 나타내고 알맞은 말에 ○표 하세요.

남은 피자: $\frac{5}{9}$, 절반보다 더 ((많이), 적게) 남았습니다.

50·51쪽

2일 266

크기가 같은 분수를 이용한 크기 비교

개념원리

크기가 같은 분수로 바꾸어 분수의 크기를 비교하여 봅시다.

$\frac{5}{8} < \frac{3}{4}$ 분모가 같은 분수로 바꾸기 $\frac{6}{8}$

$\frac{6}{7} > \frac{3}{5}$ 분자가 같은 분수로 바꾸기 $\frac{6}{10}$

분모 또는 분자가 같은 분수로 바꾸어 크기를 비교할 수 있습니다.

$\frac{4}{5} > \frac{7}{10}$ 분모가 같은 분수로 바꾸기 $\frac{8}{10}$

$\frac{2}{3} > \frac{4}{7}$ 분자가 같은 분수로 바꾸기 $\frac{4}{6}$

$\frac{2}{9} < \frac{1}{3}$ 분모가 같은 분수로 바꾸기 $\frac{3}{9}$

$\frac{4}{7} > \frac{2}{5}$ 분자가 같은 분수로 바꾸기 $\frac{4}{10}$

$\frac{5}{6} < \frac{11}{12}$ 분모가 같은 분수로 바꾸기 $\frac{10}{12}$

$\frac{3}{4} < \frac{9}{11}$ 분자가 같은 분수로 바꾸기 $\frac{9}{12}$

분모 또는 분자가 같은 분수로 바꾸고 ○안에 >, =, <를 쓰세요.

$\frac{3}{8} > \frac{1}{4} = \frac{2}{8}$ $\frac{2}{9} > \frac{1}{5} = \frac{2}{10}$

$\frac{8}{12} = \frac{4}{6} < \frac{9}{12}$ $\frac{2}{6} = \frac{1}{3} < \frac{2}{5}$

$\frac{3}{6} > \frac{1}{3} = \frac{2}{6}$ $\frac{2}{6} > \frac{1}{4} = \frac{2}{8}$ $\frac{5}{10} < \frac{3}{5} = \frac{6}{10}$

$\frac{6}{14} < \frac{2}{4} = \frac{6}{12}$ $\frac{3}{6} < \frac{2}{3} = \frac{4}{6}$ $\frac{10}{12} > \frac{5}{7} = \frac{10}{14}$

$\frac{3}{12} > \frac{1}{6} = \frac{2}{12}$ $\frac{10}{17} < \frac{5}{8} = \frac{10}{16}$ $\frac{6}{8} > \frac{1}{2} = \frac{4}{8}$

$\frac{6}{13} > \frac{2}{5} = \frac{6}{15}$ $\frac{10}{21} > \frac{2}{7} = \frac{6}{21}$ $\frac{15}{22} < \frac{3}{4} = \frac{15}{20}$

50 응용연산 C1   3주 조건과 분수 51

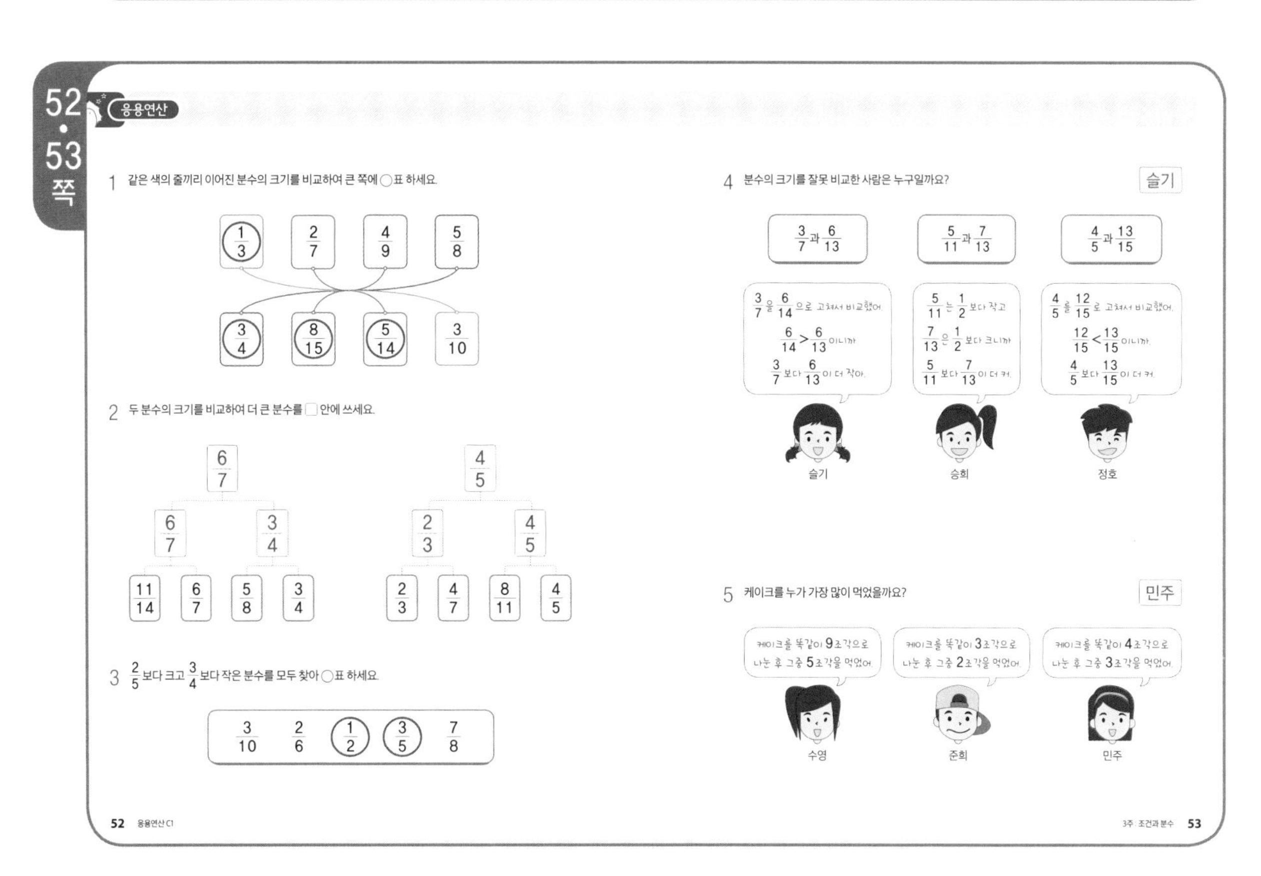
52·53쪽

응용연산

1 같은 색의 줄끼리 이어진 분수의 크기를 비교하여 큰 쪽에 ○표 하세요.

$\frac{1}{3}$(○), $\frac{2}{7}$, $\frac{4}{9}$, $\frac{5}{8}$ / $\frac{3}{4}$(○), $\frac{8}{15}$(○), $\frac{5}{14}$(○), $\frac{3}{10}$

2 두 분수의 크기를 비교하여 더 큰 분수를 □ 안에 쓰세요.

$\frac{6}{7}$ ← $\frac{6}{7}$, $\frac{3}{4}$ ← $\frac{11}{14}$, $\frac{6}{7}$, $\frac{5}{8}$, $\frac{3}{4}$

$\frac{4}{5}$ ← $\frac{2}{3}$, $\frac{4}{5}$ ← $\frac{2}{3}$, $\frac{4}{7}$, $\frac{8}{11}$, $\frac{4}{5}$

3 $\frac{2}{5}$보다 크고 $\frac{3}{4}$보다 작은 분수를 모두 찾아 ○표 하세요.

$\frac{3}{10}$, $\frac{2}{6}$, $\frac{1}{2}$(○), $\frac{3}{5}$(○), $\frac{7}{8}$

4 분수의 크기를 잘못 비교한 사람은 누구일까요? 슬기

$\frac{3}{7}$과 $\frac{6}{13}$ / $\frac{5}{11}$과 $\frac{7}{13}$ / $\frac{4}{5}$과 $\frac{13}{15}$

$\frac{3}{7}$을 $\frac{6}{14}$으로 고쳐서 비교했어. $\frac{6}{14} > \frac{6}{13}$이니까 $\frac{3}{7}$보다 $\frac{6}{13}$이 더 작아.
$\frac{5}{11}$는 $\frac{1}{2}$보다 작고 $\frac{7}{13}$은 $\frac{1}{2}$보다 크니까 $\frac{5}{11}$보다 $\frac{7}{13}$이 더 커.
$\frac{4}{5}$을 $\frac{12}{15}$로 고쳐서 비교했어. $\frac{12}{15} < \frac{13}{15}$이니까 $\frac{4}{5}$보다 $\frac{13}{15}$이 더 커.
슬기
승희
정호

5 케이크를 누가 가장 많이 먹었을까요? 민주

케이크를 똑같이 9조각으로 나눈 후 그중 5조각을 먹었어.
케이크를 똑같이 3조각으로 나눈 후 그중 2조각을 먹었어.
케이크를 똑같이 4조각으로 나눈 후 그중 3조각을 먹었어.
수영
준희
민주

52 응용연산 C1   3주 조건과 분수 53

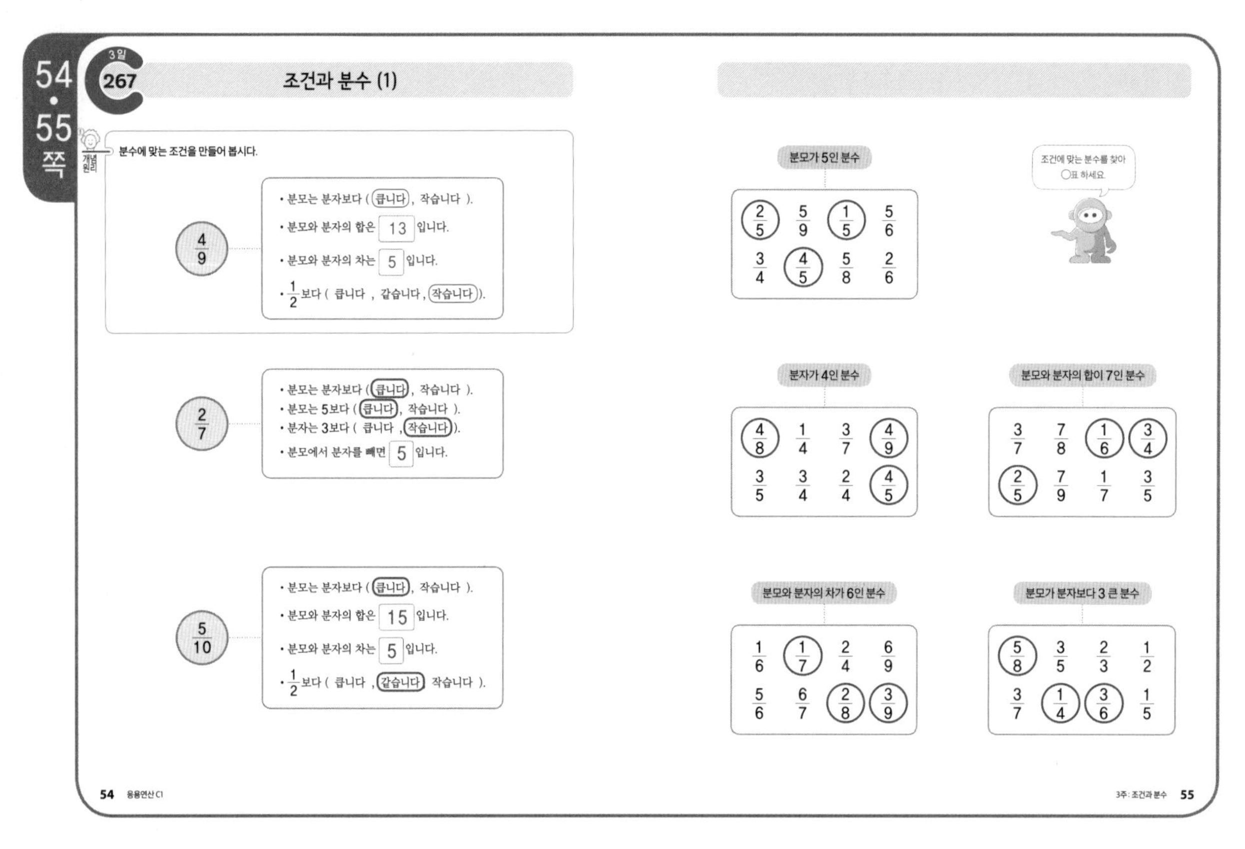

54·55쪽

3일 267 조건과 분수 (1)

개념원리 분수에 맞는 조건을 만들어 봅시다.

$\frac{4}{9}$
- 분모는 분자보다 (큽니다(○), 작습니다).
- 분모와 분자의 합은 13 입니다.
- 분모와 분자의 차는 5 입니다.
- $\frac{1}{2}$보다 (큽니다 , 같습니다 , 작습니다(○)).

$\frac{2}{7}$
- 분모는 분자보다 (큽니다(○), 작습니다).
- 분모는 5보다 (큽니다(○), 작습니다).
- 분자는 3보다 (큽니다 , 작습니다(○)).
- 분모에서 분자를 빼면 5 입니다.

$\frac{5}{10}$
- 분모는 분자보다 (큽니다(○), 작습니다).
- 분모와 분자의 합은 15 입니다.
- 분모와 분자의 차는 5 입니다.
- $\frac{1}{2}$보다 (큽니다 , 같습니다(○), 작습니다).

분모가 5인 분수

$\frac{2}{5}$(○) $\frac{5}{9}$ $\frac{1}{5}$(○) $\frac{5}{6}$ $\frac{3}{4}$ $\frac{4}{5}$(○) $\frac{5}{8}$ $\frac{2}{6}$

분자가 4인 분수

$\frac{4}{8}$(○) $\frac{1}{4}$ $\frac{3}{7}$ $\frac{4}{9}$(○) $\frac{3}{5}$ $\frac{3}{4}$ $\frac{2}{4}$ $\frac{4}{5}$(○)

분모와 분자의 합이 7인 분수

$\frac{3}{7}$ $\frac{7}{8}$ $\frac{1}{6}$(○) $\frac{3}{4}$(○) $\frac{2}{5}$(○) $\frac{7}{9}$ $\frac{1}{7}$ $\frac{3}{5}$

분모와 분자의 차가 6인 분수

$\frac{1}{6}$ $\frac{1}{7}$(○) $\frac{2}{4}$ $\frac{6}{9}$ $\frac{5}{6}$ $\frac{6}{7}$ $\frac{2}{8}$(○) $\frac{3}{9}$(○)

분모가 분자보다 3 큰 분수

$\frac{5}{8}$(○) $\frac{3}{5}$ $\frac{2}{3}$ $\frac{1}{2}$ $\frac{3}{7}$ $\frac{1}{4}$(○) $\frac{3}{6}$(○) $\frac{1}{5}$

54 응용연산 C1 3주: 조건과 분수 55

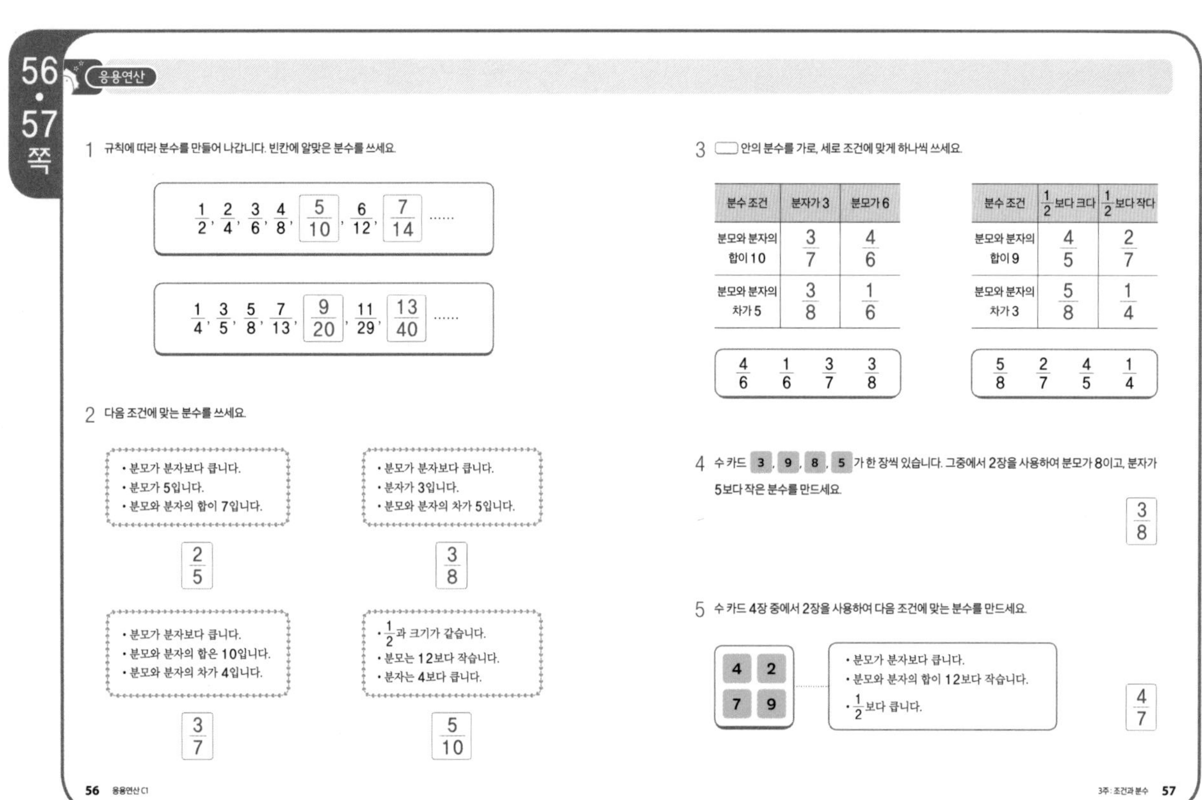

56·57쪽

응용연산

1 규칙에 따라 분수를 만들어 나갑니다. 빈칸에 알맞은 분수를 쓰세요.

$\frac{1}{2}, \frac{2}{4}, \frac{3}{6}, \frac{4}{8}, \boxed{\frac{5}{10}}, \frac{6}{12}, \boxed{\frac{7}{14}}$ ……

$\frac{1}{4}, \frac{3}{5}, \frac{5}{8}, \frac{7}{13}, \boxed{\frac{9}{20}}, \frac{11}{29}, \boxed{\frac{13}{40}}$ ……

2 다음 조건에 맞는 분수를 쓰세요.

- 분모가 분자보다 큽니다.
- 분모가 5입니다.
- 분모와 분자의 합이 7입니다.

$\frac{2}{5}$

- 분모가 분자보다 큽니다.
- 분자가 3입니다.
- 분모와 분자의 차가 5입니다.

$\frac{3}{8}$

- 분모가 분자보다 큽니다.
- 분모와 분자의 합은 10입니다.
- 분모와 분자의 차가 4입니다.

$\frac{3}{7}$

- $\frac{1}{2}$과 크기가 같습니다.
- 분모는 12보다 작습니다.
- 분자는 4보다 큽니다.

$\frac{5}{10}$

3 □ 안의 분수를 가로, 세로 조건에 맞게 하나씩 쓰세요.

분수 조건	분자가 3	분모가 6
분모와 분자의 합이 10	$\frac{3}{7}$	$\frac{4}{6}$
분모와 분자의 차가 5	$\frac{3}{8}$	$\frac{1}{6}$

$\frac{4}{6}$ $\frac{1}{6}$ $\frac{3}{7}$ $\frac{3}{8}$

분수 조건	$\frac{1}{2}$보다 크다	$\frac{1}{2}$보다 작다
분모와 분자의 합이 9	$\frac{4}{5}$	$\frac{2}{7}$
분모와 분자의 차가 3	$\frac{5}{8}$	$\frac{1}{4}$

$\frac{5}{8}$ $\frac{2}{7}$ $\frac{4}{5}$ $\frac{1}{4}$

4 수 카드 3, 9, 8, 5 가 한 장씩 있습니다. 그중에서 2장을 사용하여 분모가 8이고, 분자가 5보다 작은 분수를 만드세요.

$\frac{3}{8}$

5 수 카드 4장 중에서 2장을 사용하여 다음 조건에 맞는 분수를 만드세요.

4 2 7 9

- 분모가 분자보다 큽니다.
- 분모와 분자의 합이 12보다 작습니다.
- $\frac{1}{2}$보다 큽니다.

$\frac{4}{7}$

56 응용연산 C1 3주: 조건과 분수 57

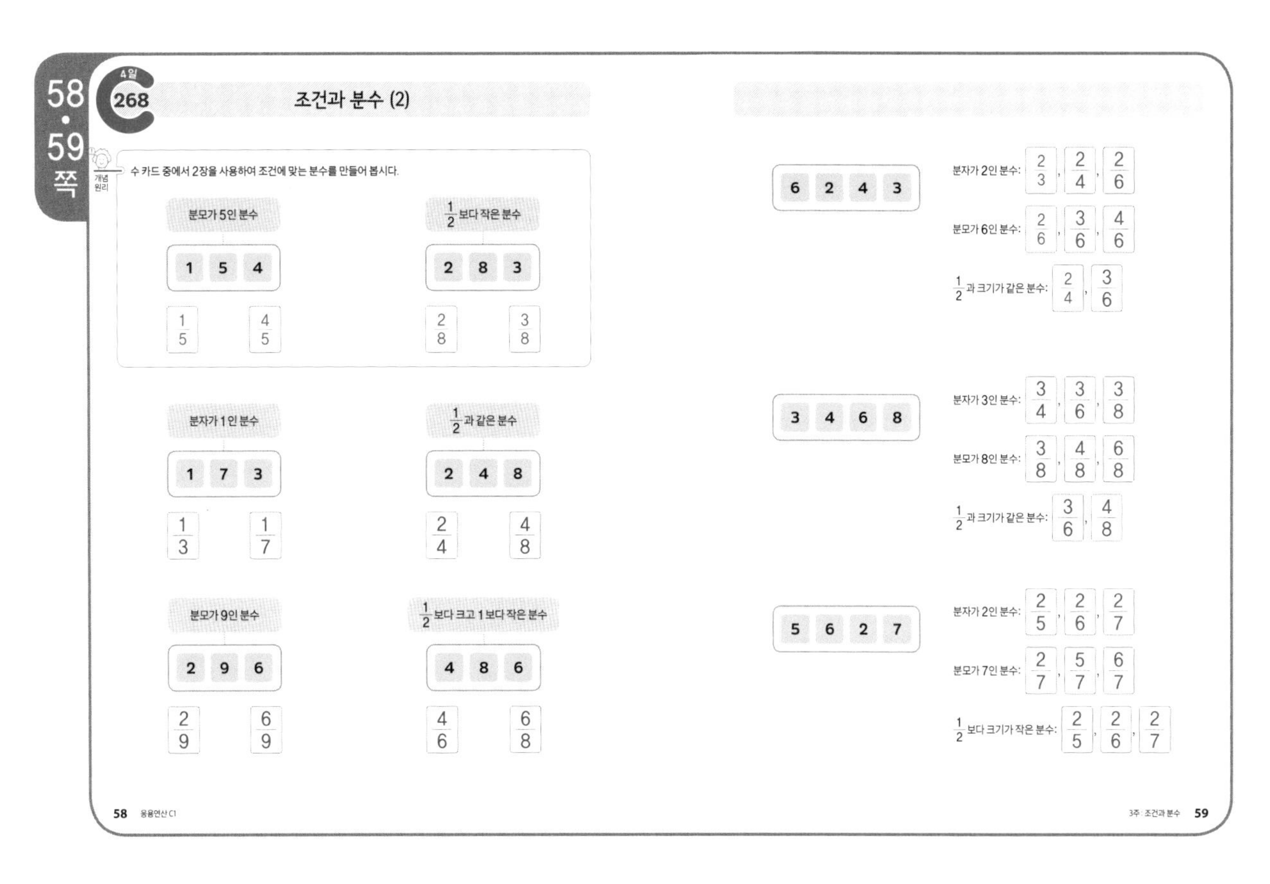

58·59쪽

4일 268

조건과 분수 (2)

개념 원리

수 카드 중에서 2장을 사용하여 조건에 맞는 분수를 만들어 봅시다.

분모가 5인 분수: 1 5 4 → $\frac{1}{5}$, $\frac{4}{5}$

$\frac{1}{2}$보다 작은 분수: 2 8 3 → $\frac{2}{8}$, $\frac{3}{8}$

분자가 1인 분수: 1 7 3 → $\frac{1}{3}$, $\frac{1}{7}$

$\frac{1}{2}$과 같은 분수: 2 4 8 → $\frac{2}{4}$, $\frac{4}{8}$

분모가 9인 분수: 2 9 6 → $\frac{2}{9}$, $\frac{6}{9}$

$\frac{1}{2}$보다 크고 1보다 작은 분수: 4 8 6 → $\frac{4}{6}$, $\frac{6}{8}$

6 2 4 3

분자가 2인 분수: $\frac{2}{3}$, $\frac{2}{4}$, $\frac{2}{6}$

분모가 6인 분수: $\frac{2}{6}$, $\frac{3}{6}$, $\frac{4}{6}$

$\frac{1}{2}$과 크기가 같은 분수: $\frac{2}{4}$, $\frac{3}{6}$

3 4 6 8

분자가 3인 분수: $\frac{3}{4}$, $\frac{3}{6}$, $\frac{3}{8}$

분모가 8인 분수: $\frac{3}{8}$, $\frac{4}{8}$, $\frac{6}{8}$

$\frac{1}{2}$과 크기가 같은 분수: $\frac{3}{6}$, $\frac{4}{8}$

5 6 2 7

분자가 2인 분수: $\frac{2}{5}$, $\frac{2}{6}$, $\frac{2}{7}$

분모가 7인 분수: $\frac{2}{7}$, $\frac{5}{7}$, $\frac{6}{7}$

$\frac{1}{2}$보다 크기가 작은 분수: $\frac{2}{5}$, $\frac{2}{6}$, $\frac{2}{7}$

58 응용연산 C1 / 3주 · 조건과 분수 59

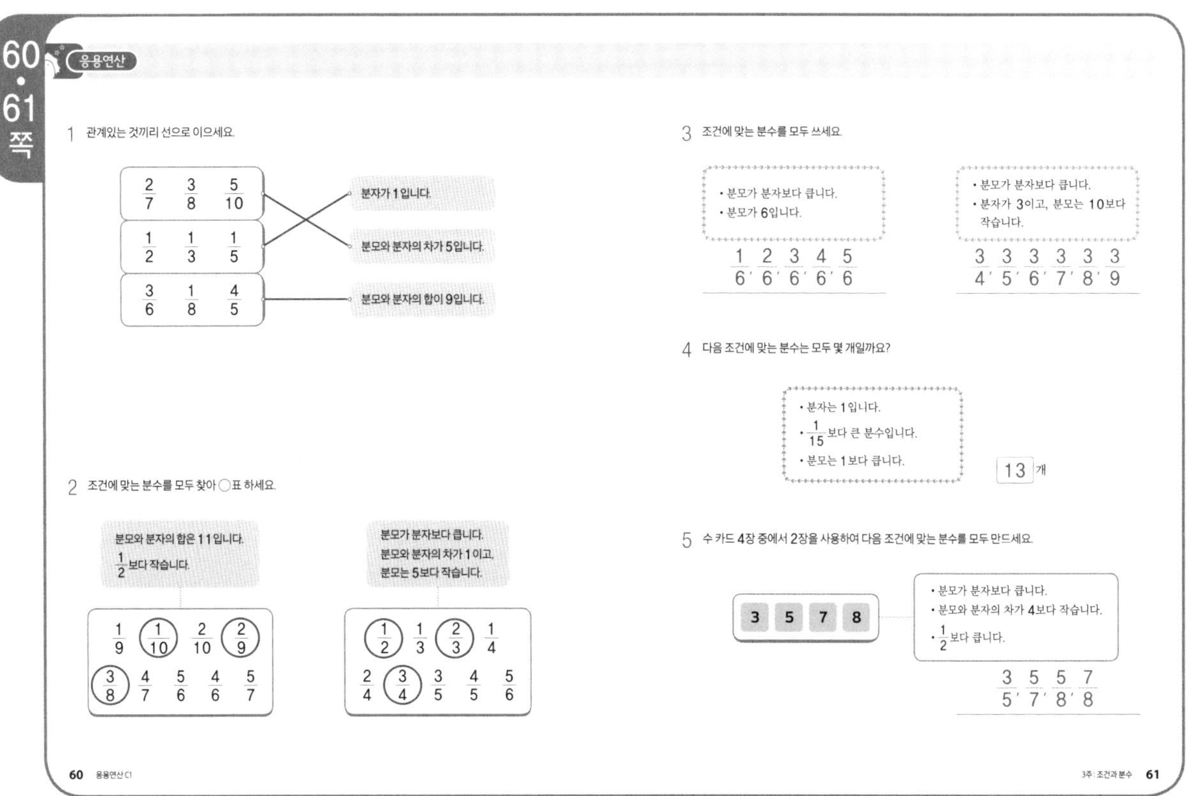

60·61쪽

응용연산

1 관계있는 것끼리 선으로 이으세요.

$\frac{2}{7}$ $\frac{3}{8}$ $\frac{5}{10}$ — 분모와 분자의 차가 5입니다.

$\frac{1}{2}$ $\frac{1}{3}$ $\frac{1}{5}$ — 분자가 1입니다.

$\frac{3}{6}$ $\frac{1}{8}$ $\frac{4}{5}$ — 분모와 분자의 합이 9입니다.

2 조건에 맞는 분수를 모두 찾아 ○표 하세요.

분모와 분자의 합은 11입니다. $\frac{1}{2}$보다 작습니다.

$\frac{1}{9}$ ($\frac{1}{10}$) $\frac{2}{10}$ ($\frac{2}{9}$) ($\frac{3}{8}$) $\frac{4}{7}$ $\frac{5}{6}$ $\frac{4}{6}$ $\frac{5}{7}$

분모가 분자보다 큽니다. 분모와 분자의 차가 1이고, 분모는 5보다 작습니다.

($\frac{1}{2}$) $\frac{1}{3}$ ($\frac{2}{3}$) $\frac{1}{4}$ $\frac{2}{4}$ ($\frac{3}{4}$) $\frac{3}{5}$ $\frac{4}{5}$ $\frac{5}{6}$

3 조건에 맞는 분수를 모두 쓰세요.

• 분모가 분자보다 큽니다.
• 분모가 6입니다.

$\frac{1}{6}$, $\frac{2}{6}$, $\frac{3}{6}$, $\frac{4}{6}$, $\frac{5}{6}$

• 분모가 분자보다 큽니다.
• 분자가 3이고, 분모는 10보다 작습니다.

$\frac{3}{4}$, $\frac{3}{5}$, $\frac{3}{6}$, $\frac{3}{7}$, $\frac{3}{8}$, $\frac{3}{9}$

4 다음 조건에 맞는 분수는 모두 몇 개일까요?

• 분자는 1입니다.
• $\frac{1}{15}$보다 큰 분수입니다.
• 분모는 1보다 큽니다.

13 개

5 수 카드 4장 중에서 2장을 사용하여 다음 조건에 맞는 분수를 모두 만드세요.

3 5 7 8

• 분모가 분자보다 큽니다.
• 분모와 분자의 차가 4보다 작습니다.
• $\frac{1}{2}$보다 큽니다.

$\frac{3}{5}$, $\frac{5}{7}$, $\frac{5}{8}$, $\frac{7}{8}$

60 응용연산 C1 / 3주 · 조건과 분수 61

62·63쪽

5일 형성평가

1 분수의 크기를 비교하여 ○ 안에 >, =, <를 쓰세요.

$\frac{8}{15} > \frac{1}{2}$　　$\frac{1}{2} < \frac{5}{9}$　　$\frac{5}{11} < \frac{1}{2}$

$\frac{5}{12} < \frac{1}{2} < \frac{7}{12}$　　$\frac{4}{7} > \frac{1}{2} > \frac{3}{7}$

2 다음은 $\frac{1}{2}$을 이용하여 두 분수의 크기를 비교한 것입니다. ○ 안에 >, =, <를 쓰세요.

$\frac{3}{5} > \frac{1}{2}$, $\frac{5}{12} < \frac{1}{2}$ ➡ $\frac{5}{12} < \frac{3}{5}$

$\frac{6}{14} < \frac{1}{2}$, $\frac{5}{9} > \frac{1}{2}$ ➡ $\frac{6}{14} < \frac{5}{9}$

3 분모 또는 분자가 같은 분수로 바꾸고 ○ 안에 >, =, <를 쓰세요.

$\frac{5}{10} > \frac{2}{5} = \frac{4}{10}$　　$\frac{8}{15} < \frac{4}{7} = \frac{8}{14}$　　$\frac{5}{12} > \frac{1}{4} = \frac{3}{12}$

$\frac{9}{17} < \frac{3}{5} = \frac{9}{15}$　　$\frac{5}{12} > \frac{1}{3} = \frac{4}{12}$　　$\frac{2}{9} > \frac{1}{6} = \frac{2}{12}$

4 두 분수의 크기를 비교하여 더 큰 분수를 □ 안에 쓰세요.

$\frac{5}{6}$
- $\frac{10}{13}$: $\frac{5}{8}$, $\frac{10}{13}$
- $\frac{5}{6}$: $\frac{5}{6}$, $\frac{2}{3}$

$\frac{4}{7}$
- $\frac{2}{4}$: $\frac{7}{16}$, $\frac{2}{4}$
- $\frac{4}{7}$: $\frac{8}{15}$, $\frac{4}{7}$

5 조건에 맞는 분수를 모두 찾아 ○표 하세요.

분모가 5인 분수: $\frac{5}{9}$, ($\frac{4}{5}$), $\frac{3}{4}$, ($\frac{2}{5}$), $\frac{2}{3}$, $\frac{5}{6}$, ($\frac{3}{5}$), $\frac{1}{2}$

분모와 분자의 차가 3인 분수: $\frac{3}{5}$, $\frac{1}{3}$, ($\frac{4}{7}$), ($\frac{5}{8}$), $\frac{2}{4}$, ($\frac{6}{9}$), $\frac{5}{6}$, $\frac{6}{7}$

64쪽

6 다음 조건에 맞는 분수를 쓰세요.

- $\frac{1}{3}$과 크기가 같습니다.
- 분모는 7보다 큽니다.
- 분자는 4보다 작습니다.

$\frac{3}{9}$

- 분모가 분자보다 큽니다.
- 분모와 분자의 합은 13입니다.
- 분모와 분자의 차는 3입니다.

$\frac{5}{8}$

7 조건에 맞는 분수를 모두 찾아 ○표 하세요.

분모가 분자보다 큽니다. 분모와 분자의 차가 2이고, 분모는 8보다 작습니다.

$\frac{1}{5}$, $\frac{8}{10}$, $\frac{7}{9}$, ($\frac{2}{4}$), $\frac{1}{6}$, $\frac{3}{8}$, ($\frac{5}{7}$), $\frac{2}{3}$, ($\frac{3}{5}$)

분모와 분자의 합은 13입니다. $\frac{1}{2}$보다 작습니다.

$\frac{3}{12}$, ($\frac{2}{11}$), $\frac{5}{10}$, $\frac{6}{11}$, $\frac{5}{8}$, ($\frac{4}{9}$), $\frac{5}{6}$, ($\frac{3}{10}$), $\frac{4}{7}$

8 수 카드 1, 2, 5, 7 가 한 장씩 있습니다. 그중에서 2장을 사용하여 분모가 분자보다 큰 분수를 모두 만드세요.

$\frac{1}{2}, \frac{1}{5}, \frac{1}{7}, \frac{2}{5}, \frac{2}{7}, \frac{5}{7}$

소수의 기초

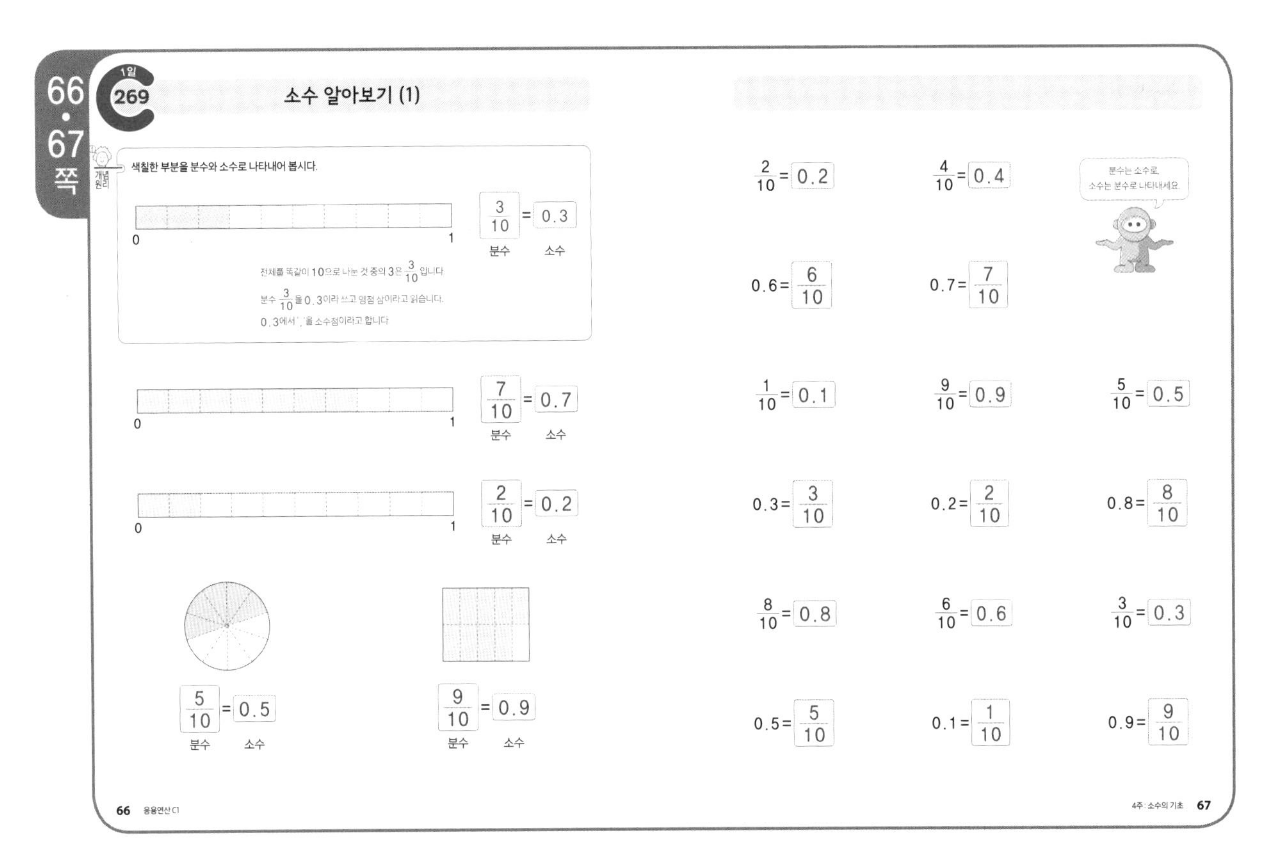

66·67쪽

1일 269

소수 알아보기 (1)

개념원리 색칠한 부분을 분수와 소수로 나타내어 봅시다.

0 — 1 : $\frac{3}{10}$ = 0.3 (분수, 소수)

전체를 똑같이 10으로 나눈 것 중의 3은 $\frac{3}{10}$ 입니다.

분수 $\frac{3}{10}$ 을 0.3이라 쓰고 영점 삼이라고 읽습니다.

0.3에서 '.'을 소수점이라고 합니다.

0 — 1 : $\frac{7}{10}$ = 0.7 (분수, 소수)

0 — 1 : $\frac{2}{10}$ = 0.2 (분수, 소수)

$\frac{5}{10}$ = 0.5 (분수, 소수)

$\frac{9}{10}$ = 0.9 (분수, 소수)

$\frac{2}{10}$ = 0.2　$\frac{4}{10}$ = 0.4

0.6 = $\frac{6}{10}$　0.7 = $\frac{7}{10}$

분수는 소수로,
소수는 분수로 나타내세요.

$\frac{1}{10}$ = 0.1　$\frac{9}{10}$ = 0.9　$\frac{5}{10}$ = 0.5

0.3 = $\frac{3}{10}$　0.2 = $\frac{2}{10}$　0.8 = $\frac{8}{10}$

$\frac{8}{10}$ = 0.8　$\frac{6}{10}$ = 0.6　$\frac{3}{10}$ = 0.3

0.5 = $\frac{5}{10}$　0.1 = $\frac{1}{10}$　0.9 = $\frac{9}{10}$

66 응용연산 C1　　4주: 소수의 기초 67

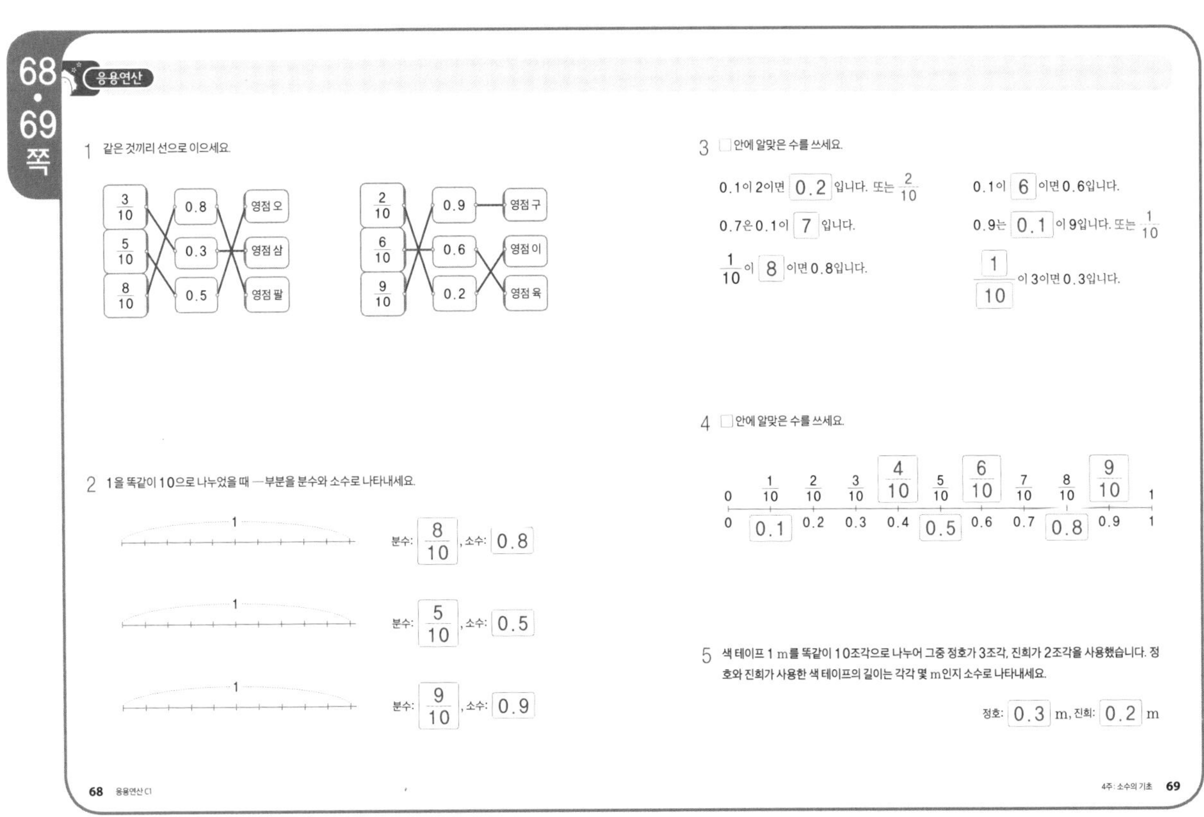

68·69쪽

응용연산

1 같은 것끼리 선으로 이으세요.

$\frac{3}{10}$, $\frac{5}{10}$, $\frac{8}{10}$ — 0.8, 0.3, 0.5 — 영점 오, 영점 삼, 영점 팔

$\frac{2}{10}$, $\frac{6}{10}$, $\frac{9}{10}$ — 0.9, 0.6, 0.2 — 영점 구, 영점 이, 영점 육

2 1을 똑같이 10으로 나누었을 때 ─ 부분을 분수와 소수로 나타내세요.

분수: $\frac{8}{10}$, 소수: 0.8

분수: $\frac{5}{10}$, 소수: 0.5

분수: $\frac{9}{10}$, 소수: 0.9

3 □ 안에 알맞은 수를 쓰세요.

0.1이 2이면 0.2 입니다. 또는 $\frac{2}{10}$

0.1이 6 이면 0.6입니다.

0.7은 0.1이 7 입니다.

0.9는 0.1 이 9입니다. 또는 $\frac{1}{10}$

$\frac{1}{10}$ 이 8 이면 0.8입니다.

$\frac{1}{10}$ 이 3이면 0.3입니다.

4 □ 안에 알맞은 수를 쓰세요.

0, $\frac{1}{10}$, $\frac{2}{10}$, $\frac{3}{10}$, $\frac{4}{10}$, $\frac{5}{10}$, $\frac{6}{10}$, $\frac{7}{10}$, $\frac{8}{10}$, $\frac{9}{10}$, 1

0, 0.1, 0.2, 0.3, 0.4, 0.5, 0.6, 0.7, 0.8, 0.9, 1

5 색 테이프 1 m를 똑같이 10조각으로 나누어 그중 정호가 3조각, 진희가 2조각을 사용했습니다. 정호와 진희가 사용한 색 테이프의 길이는 각각 몇 m인지 소수로 나타내세요.

정호: 0.3 m, 진희: 0.2 m

68 응용연산 C1　　4주: 소수의 기초 69

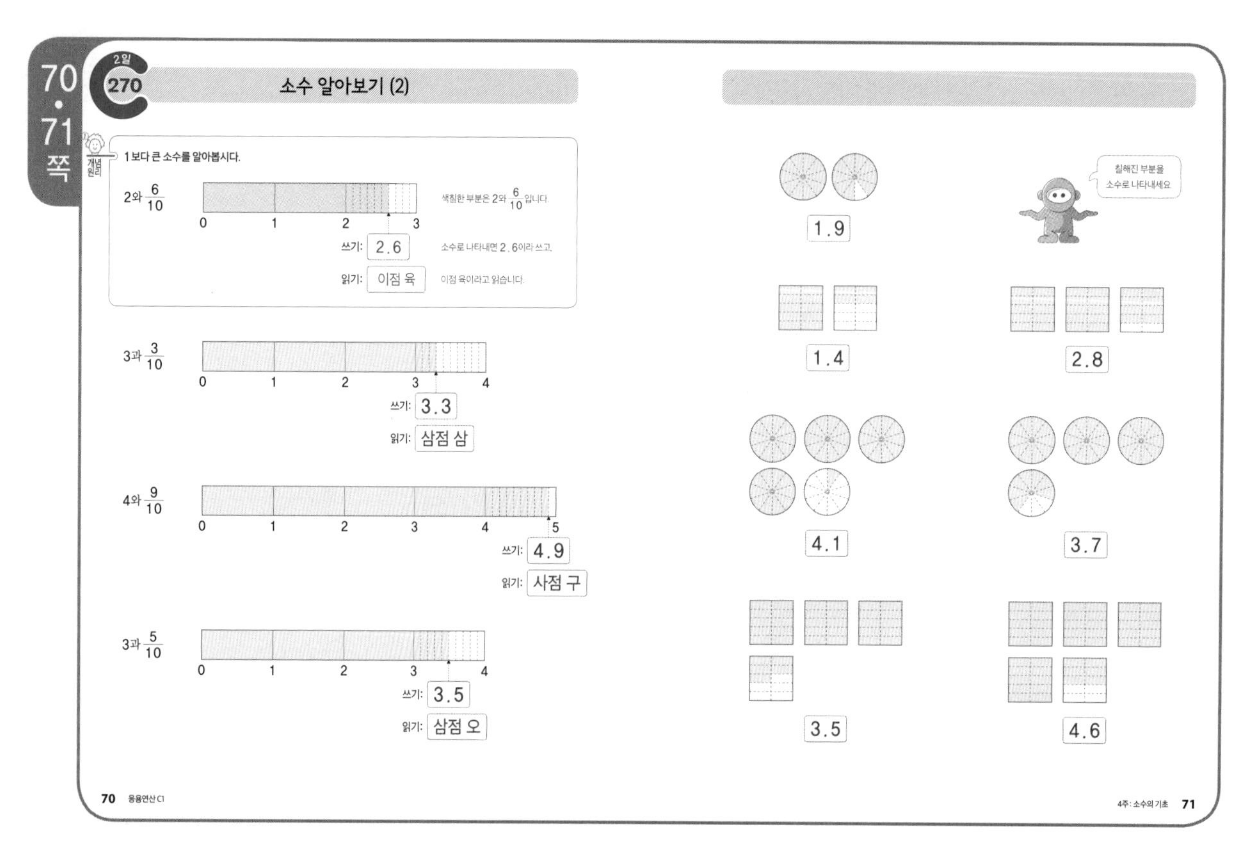

70·71쪽

2일 270 소수 알아보기 (2)

개념원리 1보다 큰 소수를 알아봅시다.

2와 $\frac{6}{10}$ — 색칠한 부분은 2와 $\frac{6}{10}$입니다.

쓰기: 2.6 — 소수로 나타내면 2.6이라 쓰고,

읽기: 이점 육 — 이점 육이라고 읽습니다.

3과 $\frac{3}{10}$ 쓰기: 3.3 읽기: 삼점 삼

4와 $\frac{9}{10}$ 쓰기: 4.9 읽기: 사점 구

3과 $\frac{5}{10}$ 쓰기: 3.5 읽기: 삼점 오

칠해진 부분을 소수로 나타내세요.

1.9, 1.4, 2.8, 4.1, 3.7, 3.5, 4.6

70 응용연산 C1 / 4주: 소수의 기초 71

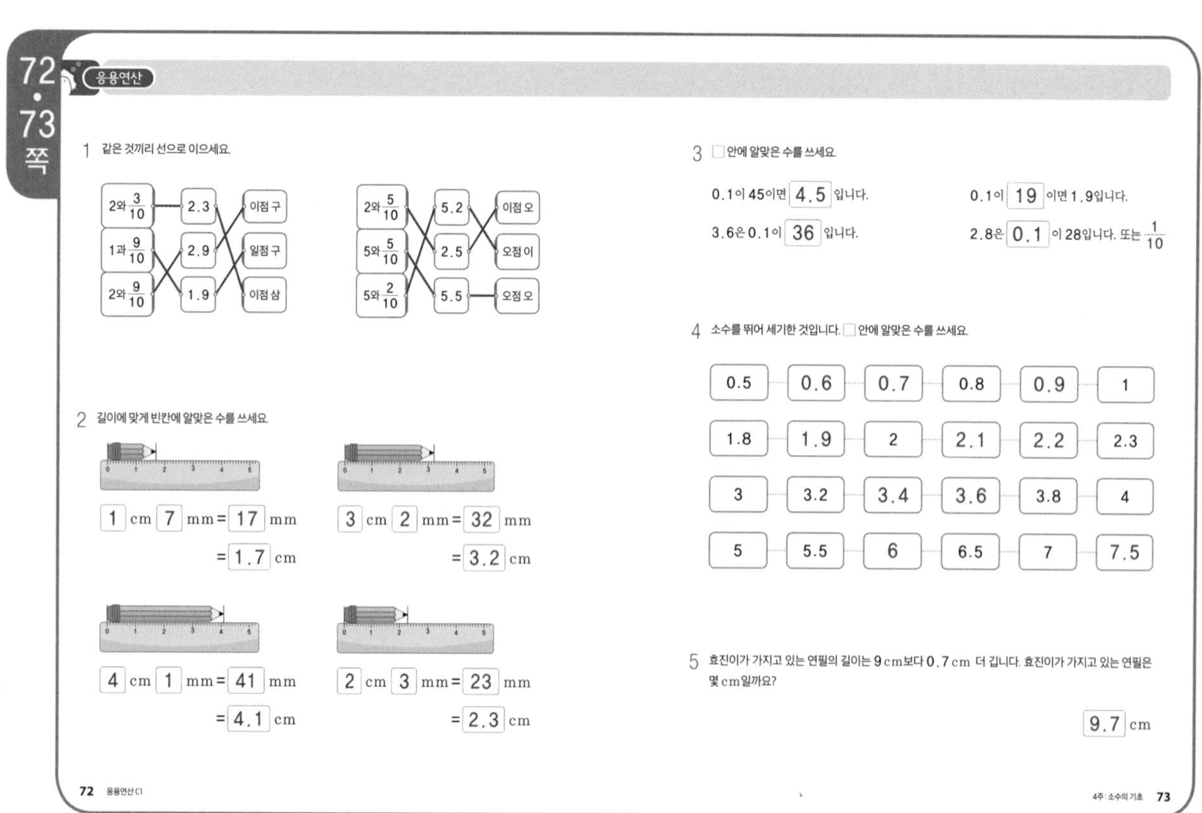

72·73쪽 응용연산

1 같은 것끼리 선으로 이으세요.

2와 $\frac{3}{10}$ — 2.3 — 이점 삼
1과 $\frac{9}{10}$ — 1.9 — 일점 구
2와 $\frac{9}{10}$ — 2.9 — 이점 구

2와 $\frac{5}{10}$ — 2.5 — 이점 오
5와 $\frac{5}{10}$ — 5.5 — 오점 오
5와 $\frac{2}{10}$ — 5.2 — 오점 이

2 길이에 맞게 빈칸에 알맞은 수를 쓰세요.

1 cm 7 mm = 17 mm = 1.7 cm

3 cm 2 mm = 32 mm = 3.2 cm

4 cm 1 mm = 41 mm = 4.1 cm

2 cm 3 mm = 23 mm = 2.3 cm

3 □ 안에 알맞은 수를 쓰세요.

0.1이 45이면 4.5 입니다.

0.1이 19 이면 1.9입니다.

3.6은 0.1이 36 입니다.

2.8은 0.1 이 28입니다. 또는 $\frac{1}{10}$

4 소수를 뛰어 세기한 것입니다. □ 안에 알맞은 수를 쓰세요.

0.5 — 0.6 — 0.7 — 0.8 — 0.9 — 1

1.8 — 1.9 — 2 — 2.1 — 2.2 — 2.3

3 — 3.2 — 3.4 — 3.6 — 3.8 — 4

5 — 5.5 — 6 — 6.5 — 7 — 7.5

5 효진이가 가지고 있는 연필의 길이는 9 cm보다 0.7 cm 더 깁니다. 효진이가 가지고 있는 연필은 몇 cm일까요?

9.7 cm

72 응용연산 C1 / 4주: 소수의 기초 73

74·75쪽

3일 271

소수의 크기 비교 (1)

개념원리

소수만큼 색칠하고 소수의 크기를 비교해 봅시다.

2.7 (0, 1, 2, 3, 4)

3.1 (0, 1, 2, 3, 4)

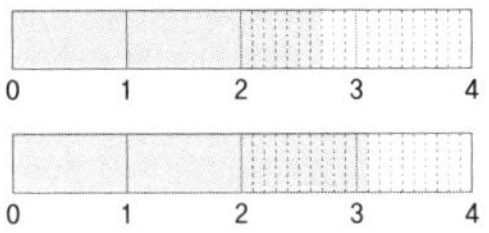

2.7 < 3.1

2.7은 0.1이 27, 3.1은 0.1이 31이므로 2.7보다 3.1이 더 큽니다.
소수의 크기를 비교할 때에는 소수점 왼쪽 수를 먼저 비교합니다.
소수점 왼쪽 수가 같으면 소수점 오른쪽 바로 옆의 수를 비교합니다.

3.6 (0, 1, 2, 3, 4)

2.9 (0, 1, 2, 3, 4)

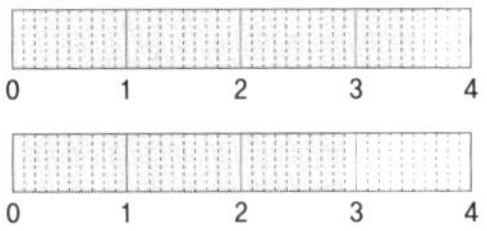

3.6 > 2.9

3.8 (0, 1, 2, 3, 4)

3.2 (0, 1, 2, 3, 4)

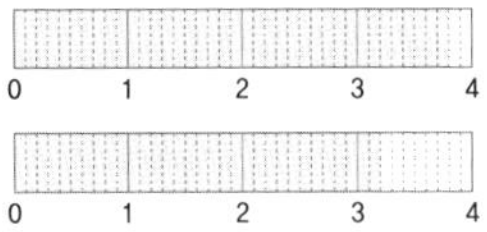

3.8 > 3.2

0.7 > 0.2　　0.8 < 0.9　　0.5 < 0.6

2.2 < 2.6　　5.8 > 5.3　　8.1 < 8.9

3.4 < 5.4　　8.2 > 2.2　　4.8 > 3.8

5.3 > 3.5　　2.9 < 3.1　　4.5 < 8.2

0.2 < 0.4 < 0.9　　3.8 > 3.5 > 3.3

8.1 > 6.1 > 2.1　　0.1 < 1.1 < 8.1

3.5 < 5.4 < 6.2　　5.1 > 3.8 > 0.9

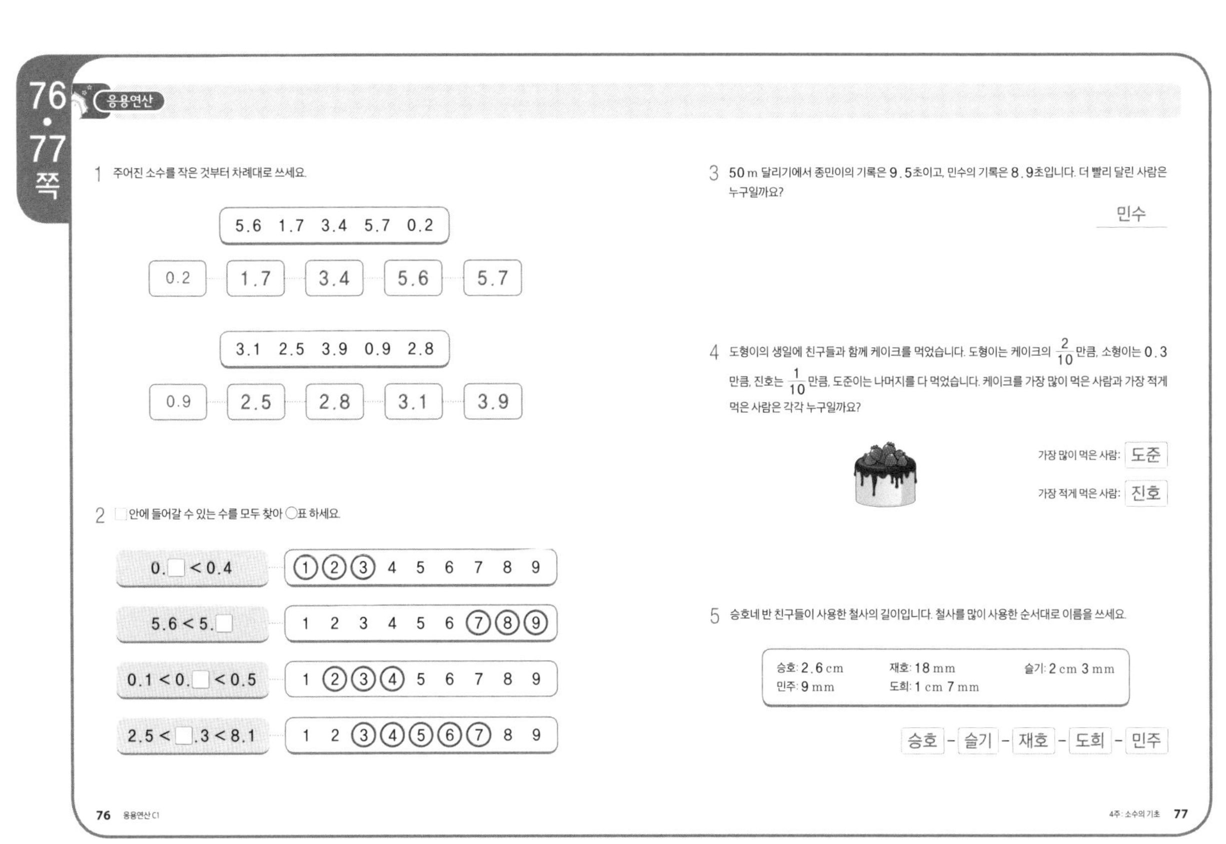
76·77쪽

응용연산

1 주어진 소수를 작은 것부터 차례대로 쓰세요.

5.6　1.7　3.4　5.7　0.2

0.2 - 1.7 - 3.4 - 5.6 - 5.7

3.1　2.5　3.9　0.9　2.8

0.9 - 2.5 - 2.8 - 3.1 - 3.9

2 □안에 들어갈 수 있는 수를 모두 찾아 ○표 하세요.

0.□ < 0.4	(1) (2) (3) 4 5 6 7 8 9
5.6 < 5.□	1 2 3 4 5 6 (7) (8) (9)
0.1 < 0.□ < 0.5	1 (2) (3) (4) 5 6 7 8 9
2.5 < □.3 < 8.1	1 2 (3) (4) (5) (6) (7) 8 9

3 50 m 달리기에서 종민이의 기록은 9.5초이고, 민수의 기록은 8.9초입니다. 더 빨리 달린 사람은 누구일까요?

민수

4 도형이의 생일에 친구들과 함께 케이크를 먹었습니다. 도형이는 케이크의 $\frac{2}{10}$ 만큼, 소형이는 0.3 만큼, 진호는 $\frac{1}{10}$ 만큼, 도준이는 나머지를 다 먹었습니다. 케이크를 가장 많이 먹은 사람과 가장 적게 먹은 사람은 각각 누구일까요?

가장 많이 먹은 사람: 도준

가장 적게 먹은 사람: 진호

5 승호네 반 친구들이 사용한 철사의 길이입니다. 철사를 많이 사용한 순서대로 이름을 쓰세요.

승호: 2.6 cm　재호: 18 mm　슬기: 2 cm 3 mm
민주: 9 mm　도희: 1 cm 7 mm

승호 - 슬기 - 재호 - 도희 - 민주

76 응용연산 C1　　4주: 소수의 기초 77

78·79쪽

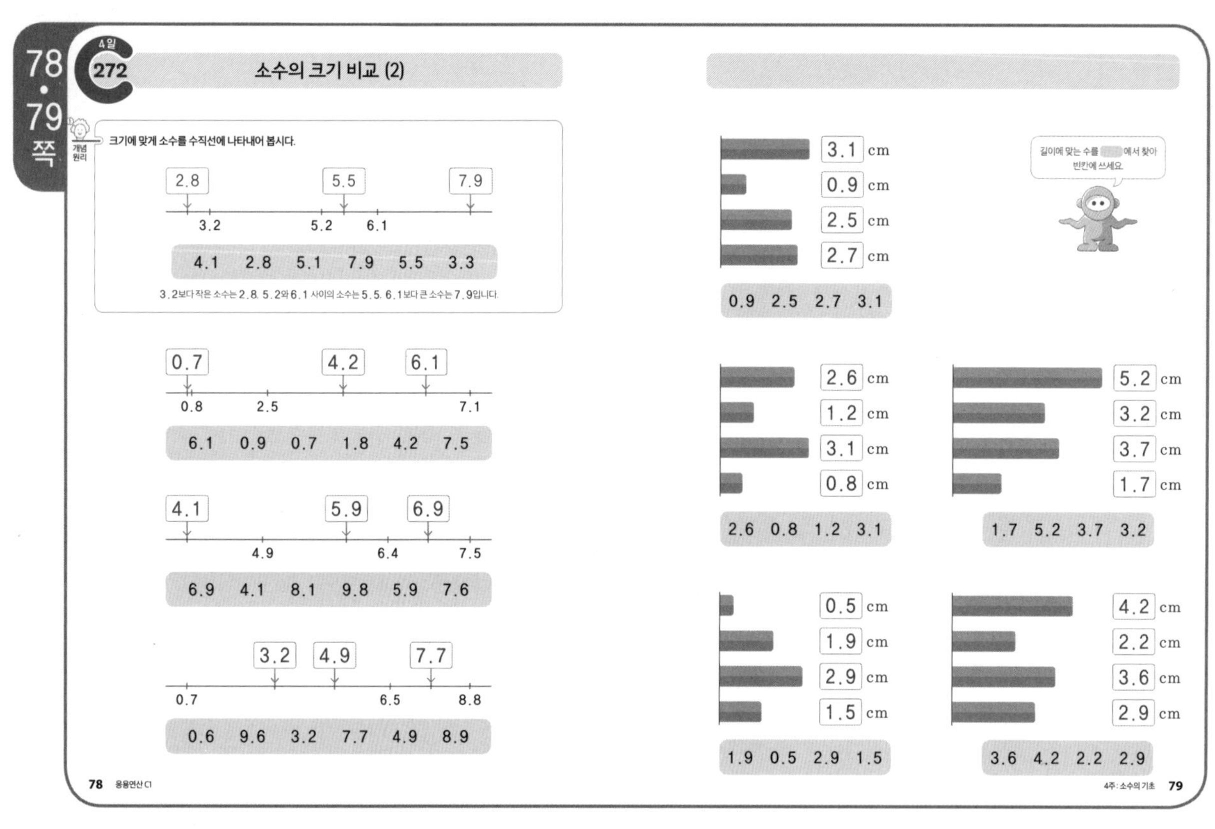

4일 272 소수의 크기 비교 (2)

개념원리 크기에 맞게 소수를 수직선에 나타내어 봅시다.

2.8, 5.5, 7.9 (수직선: 3.2, 5.2, 6.1)

4.1 2.8 5.1 7.9 5.5 3.3

3.2보다 작은 소수는 2.8, 5.2와 6.1 사이의 소수는 5.5, 6.1보다 큰 소수는 7.9입니다.

0.7, 4.2, 6.1 (수직선: 0.8, 2.5, 7.1)

6.1 0.9 0.7 1.8 4.2 7.5

4.1, 5.9, 6.9 (수직선: 4.9, 6.4, 7.5)

6.9 4.1 8.1 9.8 5.9 7.6

3.2, 4.9, 7.7 (수직선: 0.7, 6.5, 8.8)

0.6 9.6 3.2 7.7 4.9 8.9

길이에 맞는 수를 에서 찾아 빈칸에 쓰세요.

3.1 cm, 0.9 cm, 2.5 cm, 2.7 cm

0.9 2.5 2.7 3.1

2.6 cm, 1.2 cm, 3.1 cm, 0.8 cm

2.6 0.8 1.2 3.1

5.2 cm, 3.2 cm, 3.7 cm, 1.7 cm

1.7 5.2 3.7 3.2

0.5 cm, 1.9 cm, 2.9 cm, 1.5 cm

1.9 0.5 2.9 1.5

4.2 cm, 2.2 cm, 3.6 cm, 2.9 cm

3.6 4.2 2.2 2.9

78 응용연산 C1 / 4주: 소수의 기초 79

80·81쪽

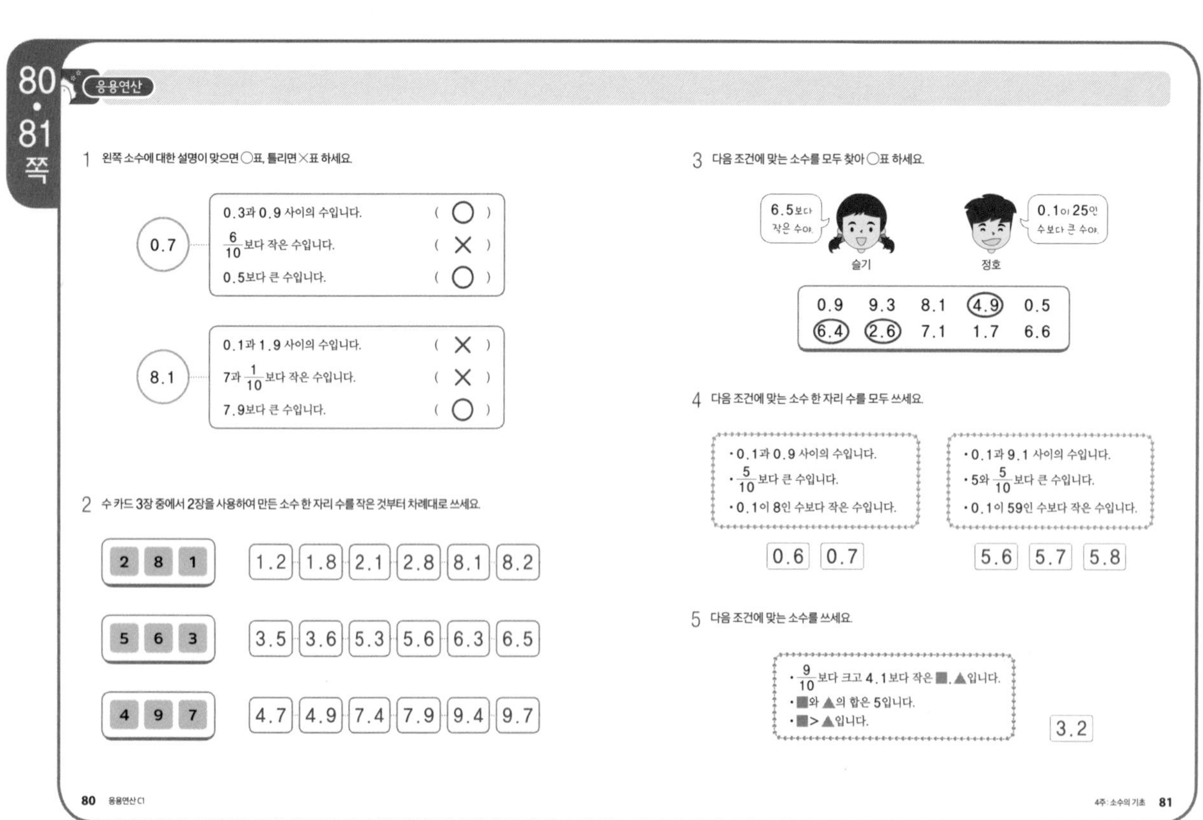

응용연산

1 왼쪽 소수에 대한 설명이 맞으면 ○표, 틀리면 ×표 하세요.

0.7
- 0.3과 0.9 사이의 수입니다. (○)
- $\frac{6}{10}$보다 작은 수입니다. (×)
- 0.5보다 큰 수입니다. (○)

8.1
- 0.1과 1.9 사이의 수입니다. (×)
- 7과 $\frac{1}{10}$보다 작은 수입니다. (×)
- 7.9보다 큰 수입니다. (○)

2 수 카드 3장 중에서 2장을 사용하여 만든 소수 한 자리 수를 작은 것부터 차례대로 쓰세요.

2 8 1 → 1.2, 1.8, 2.1, 2.8, 8.1, 8.2

5 6 3 → 3.5, 3.6, 5.3, 5.6, 6.3, 6.5

4 9 7 → 4.7, 4.9, 7.4, 7.9, 9.4, 9.7

3 다음 조건에 맞는 소수를 모두 찾아 ○표 하세요.

6.5보다 작은 수야.
슬기
정호
0.1이 25인 수보다 큰 수야.

0.9 9.3 8.1 (4.9) 0.5 (6.4) (2.6) 7.1 1.7 6.6

4 다음 조건에 맞는 소수 한 자리 수를 모두 쓰세요.

- 0.1과 0.9 사이의 수입니다.
- $\frac{5}{10}$보다 큰 수입니다.
- 0.1이 8인 수보다 작은 수입니다.

0.6, 0.7

- 0.1과 9.1 사이의 수입니다.
- 5와 $\frac{5}{10}$보다 큰 수입니다.
- 0.1이 59인 수보다 작은 수입니다.

5.6, 5.7, 5.8

5 다음 조건에 맞는 소수를 쓰세요.

- $\frac{9}{10}$보다 크고 4.1보다 작은 ■.▲입니다.
- ■와 ▲의 합은 5입니다.
- ■ > ▲입니다.

3.2

80 응용연산 C1 / 4주: 소수의 기초 81

82·83쪽

5일 형성평가

1 분수는 소수로, 소수는 분수로 나타내세요.

$\frac{5}{10}$ = 0.5　$\frac{2}{10}$ = 0.2　$\frac{6}{10}$ = 0.6

0.9 = $\frac{9}{10}$　0.1 = $\frac{1}{10}$　0.4 = $\frac{4}{10}$

2 □ 안에 알맞은 수를 쓰세요.

0.5는 0.1 이 5입니다. 또는 $\frac{1}{10}$

0.1이 4이면 0.4 입니다.

$\frac{1}{10}$이 9 이면 0.9입니다.

0.7은 0.1이 7 입니다.

0.1이 8이면 0.8 입니다. 또는 $\frac{8}{10}$

$\frac{1}{10}$이 7이면 0.7입니다.

3 칠해진 부분을 소수로 나타내세요.

4.6　2.4

4 빨간색 색연필은 6 cm이고, 파란색 색연필은 빨간색 색연필보다 0.8 cm 짧습니다. 파란색 색연필은 몇 cm인지 소수로 나타내세요.

5.2 cm

5 소수의 크기를 비교하여 ○ 안에 >, =, <를 쓰세요.

2.9 < 3.1　6.5 > 4.3　2.6 > 1.8

2.6 > 2.5 > 2.2　5.3 > 4.5 > 3.6

6 □ 안에 들어갈 수 있는 수를 모두 찾아 ○표 하세요.

3.□ < 3.6	①②③④⑤ 6 7 8 9
1.5 < 1.□	1 2 3 4 5 ⑥⑦⑧⑨
2.4 < 2.□ < 2.9	1 2 3 4 ⑤⑥⑦⑧ 9
4.7 < □.4 < 9.1	1 2 3 4 ⑤⑥⑦⑧ 9

84쪽

7 수 카드 5, 7, 2 가 한 장씩 있습니다. 그중에서 2장을 사용하여 만든 소수 한 자리 수를 작은 것부터 차례대로 쓰세요.

2.5 - 2.7 - 5.2 - 5.7 - 7.2 - 7.5

8 다음 조건에 맞는 소수 한 자리 수를 모두 쓰세요.

- 0.9와 4.9 사이의 수입니다.
- 2와 $\frac{4}{10}$보다 큰 수입니다.
- 0.1이 28인 수보다 작은 수입니다.

2.5　2.6　2.7

- 5.1과 9.1 사이의 수입니다.
- 8과 $\frac{2}{10}$보다 큰 수입니다.
- 0.1이 87인 수보다 작은 수입니다.

8.3　8.4　8.5　8.6

9 수일이네 반 친구들이 미술 시간에 사용한 리본의 길이입니다. 리본을 적게 사용한 순서대로 이름을 쓰세요.

수일: 2.1 cm　지혜: 9 mm
은영: 15 mm　도영: 2 cm 5 mm

지혜 - 은영 - 수일 - 도영

Memo

Memo

“

Numbers rule the universe.

”

"수가 우주를 지배한다"

Pythagoras, 피타고라스